As Valkírias

"Um rapaz chamado Santiago (*O Alquimista*) passa a fazer parte de uma seleta galeria de personagens ilustres, como Cândido e Pinóquio, por causa de sua capacidade de nos conduzir a tão excepcional aventura."
PAUL ZINDEL, prêmio Pulitzer, EUA

"A encantadora história de Santiago (*O Alquimista*), o pastor que sonha conhecer o mundo, é tocante por si mesma — e, entretanto, consegue ganhar mais ressonância através das muitas lições que Santiago aprende durante sua caminhada. Um livro para pessoas de todas as idades."
Publisher's Weekly, EUA

"*O Alquimista* é de uma beleza imbatível, uma verdadeira maravilha da inspiração, mostrando-nos uma amálgama de busca espiritual e conflitos existenciais, com profundidade e força."
MALCOLM BOYD, Modern Maturity Magazine, EUA

"Esta peregrinação (*O Diário de uma Mago*) se transforma numa história excitante."
LIBRARY JOURNAL, EUA

"Raramente deparei com uma história que tenha a simplicidade e a força concentradas de *O Alquimista*. Ela leva o leitor através do tempo... uma bela história com uma mensagem pessoal para cada leitor."
JOSEPH GIRZONE, EUA (autor de **Joshua**)

"Paulo Coelho nos dá a motivação para seguirmos nossos próprios sonhos, fazendo com que possamos ver o mundo através de nossos próprios olhos."
LYNN ANDREWS, EUA (autora da série **Medicine Woman**)

"(Paulo) Coelho é uma das grandes revelações da literatura brasileira da atualidade, especialmente depois da publicação de *O Alquimista*."
MARGA FONT, revista **Integral**, Espanha

"Longe da idéia do guru misterioso e enigmático, este mago de hoje... nos mostra como deve ser a iniciação nos nossos dias."
PEDRO PALAO PONS, revista **Karma 7**, Espanha

"(*O Alquimista*) é uma pedra filosofal vinda do Brasil."
G.T., jornal **Cinco Dias**, Espanha

"(*Brida*) é um livro de nossos dias, grande reportagem de uma vida, escrito com tanta destreza que até o complexo se torna transparente, e é entendido sem esforço, com alegria do espírito, num momento em que a magia resolveu falar todas as linguagens do coração do homem."
ALARCON BENITO, revista **Mas Alla**, Espanha

"Finalmente um livro (*O Alquimista*) que fala com alegria e simplicidade de conhecimentos outrora tratados de maneira tão enigmática e aborrecida."
DAVID LUCZYN, revista **Einblick**, Alemanha

"A história da busca da riqueza oculta (*O Alquimista*) passa a ser a parábola sobre a dimensão profunda da existência humana. Santiago é um herói universal."
SARKA GRAUOVA, **Literárui Noviny**, Tchecoslováquia

"Nesta odisséia espiritual (*O Diário de um Mago*), Paulo Coelho nos conduz com suavidade, nos mantém atento com seus episódios, e — quando estamos presos pelo poético misticismo do livro — Coelho nos atinge em profundidade, através de seus processos de treinamento espiritual."
KATHERINE DIEHL, Body, Mind & Spirit Magazine, EUA

"(*Paulo Coelho*) é um dos autores mais populares da América Latina, e é fácil entender por quê; ele escreve com vigor, e tem uma imensa bagagem de espiritualidade para dividir. A imagem onde mostra a transformação de si mesmo num globo azul (*O Diário de um Mago*) ficará em minha lembrança por um longo tempo."
DAVID KRAMER, Man Magazine EUA

"Uma sábia e inspiradora fábula (*O Alquimista*) sobre a peregrinação que devíamos percorrer em nossas vidas."
SCOTT PECK, autor de **Road Less Travelled**, EUA

"Uma inesquecível história sobre a mais interessante de todas as jornadas: o caminho para cumprir seus próprio destino. Eu recomendo *O Alquimista* para qualquer pessoa que esteja comprometida totalmente com seus sonhos."
ANTHONY ROBBINS, autor de **Awaken the Giant Within**

"*O Alquimista* é uma síntese da sabedoria universal, que podemos aplicar ao trabalho de nossas vidas."
SPENCER JOHNSON, autor de **O Gerente Minuto**, EUA

"(*O Alquimista*) é uma síntese de uma história comum em toda a literatura universal: o homem busca fora de si mesmo o que sempre teve ao seu lado. Uma história atrativa e cheia de simbolismos, que convertem este livro na revelação literária brasileira."
JOSE MOLINA, revista **Mucho Más**, Espanha

"Nesta época conturbada em que vivemos, quando o Ter faz tudo para dominar o Ser, com melhor companhia (Paulo Coelho) não o poderíamos deixar."
VICTOR MENDANHA, jornal **Correio da Manhã**, Portugal

OBRAS DO AUTOR

1974 — *O teatro na educação*
1974 — *O manifesto de Krig-há* (c/ Raul Seixas)
1981 — *Os arquivos do inferno*
1986 — *O manual prático do vampirismo* (recolhido)
1987 — *O diário de um mago*
1988 — *O alquimista*
1990 — *Brida*
1991 — *O dom supremo* (adaptação de Henry Drummond)
1992 — *As Valkírias*
1994 — *Na margem do rio Piedra eu sentei e chorei*
1996 — *O monte cinco*
1997 — *O manual do guerreiro da luz*
1997 — *Cartas de amor do profeta* (adaptação de Kahlil Gibran)

Paulo Coelho na Web
http://www.paulocoelho.com.br

PAULO COELHO

As Valkírias

76ª EDIÇÃO

Rio de Janeiro – 2001

Direitos desta edição reservados à
EDITORA ROCCO LTDA.
Rua Rodrigo Silva, 26 — 5º andar
20011-040 — Rio de Janeiro, RJ
Tel.: 507-2000 — Fax: 507-2244
e-mail: rocco@rocco.com.br
www.rocco.com.br

Printed in Brazil/Impresso no Brasil

ilustrações do texto
Deserto de Mojave
por CHRISTINA OITICICA

CIP-Brasil. Catalogação-na-fonte
Sindicato Nacional dos Editores de Livros, RJ

C619v

Coelho, Paulo, 1947-
As Valkírias / Paulo Coelho. — Rio de Janeiro: Rocco, 1992.

1. Paulo, 1947- . 2. Ciências ocultas. I. Título.

92-0229

CDD — 920.9133
CDU — 92COELHO, P.

Para o nome que foi
escrito em 12 de outubro
de 1988, no Glorieta Canyon

E um anjo desceu
onde eles estavam
e a glória do
Senhor brilhou
ao redor deles.

Lucas, 2,9

NOTA DO AUTOR

O leitor que se dispuser a ler *As Valkírias* precisa saber que este livro é muito diferente de *O Diário de um Mago, O Alquimista* ou *Brida.*

Foi um livro muito difícil de escrever. Primeiro, porque toca em assuntos que exigem sensibilidade para serem aceitos. Segundo, porque já havia contado esta história para muitas pessoas, e temia haver desgastado a capacidade de contá-la por escrito (este temor me acompanhou da primeira à última página do livro, mas — graças a Deus — foi apenas um susto).

Terceiro motivo, e o mais importante: para relatar os eventos ocorridos, precisei entrar em vários detalhes de minha vida pessoal — notadamente o casamento, as relações com outras pessoas e a frágil distância que separa a Tradição mágica a que pertenço do homem que sou. Como qualquer ser humano, expor minhas fraquezas e minha vida particular me deixa bastante constrangido.

Mas — como ficou bem claro em *O Diário de um Mago* — o caminho da Magia é o caminho das pessoas comuns. Um homem pode ter um mestre, seguir uma Tradição esotérica, possuir disciplina necessária para realizar rituais; mas a Busca Espiritual é feita de constantes começos (daí a palavra "Iniciado", aquele que está sempre iniciando algo), e a única coisa que conta — sempre — é a vontade de seguir adiante.

As Valkírias mostra claramente o homem que existe por detrás do mago, e isto poderia decepcionar alguns poucos que estão em busca de "seres perfeitos", com verdades definitivas a respeito de tudo. Mas os verdadeiros Buscadores sabem que, independente de todas as nossas falhas e defeitos, o Caminho Espiritual é mais forte. Deus é amor, generosidade e perdão; se acreditamos nisto, nunca vamos deixar que nossas fraquezas nos paralisem.

Os eventos narrados neste livro se passaram entre os dias 5 de setembro e 17 de outubro de 1988. A ordem de alguns trechos está trocada, e em duas ocasiões utilizei a ficção, apenas para que o leitor pudesse compreender melhor os assuntos tratados — mas todos os fatos essenciais são verdadeiros. A carta citada no epílogo do livro está registrada no Cartório de Títulos e Documentos do Rio de Janeiro, sob o número 478038.

PAULO COELHO

PRÓLOGO

— Uma coisa que seja importante para mim? — J. pensou um pouco, antes de responder. — Magia.

— Outra coisa — insistiu Paulo.

— Mulheres — disse J. — Magia e mulheres.

Paulo riu.

— São importantes para mim também — disse. — Embora o casamento tenha me limitado um pouco.

Foi a vez de J. soltar uma gostosa gargalhada.

— Um pouco — disse ele. — Mas só um pouco.

Paulo encheu de vinho o copo de seu mestre. Estava quase quatro meses sem vê-lo pessoalmente. E esta era uma noite muito especial, queria conversar mais, fazer um pouco de suspense antes de entregar a J. o embrulho que havia trazido.

— Eu costumava imaginar os grandes mestres como pessoas longe deste mundo — disse a J. — Se você me respondessè desta maneira há alguns anos, acho que largaria o aprendizado.

— Devia ter feito isto — respondeu J., bebendo seu vinho. — E eu teria colocado uma bela discípula em seu lugar.

Beberam a garrafa inteira, conversando sobre trabalho, magia e mulheres. J. estava eufórico com um grande negócio que acabara de fechar para a multinacional holandesa onde trabalhava. E Paulo estava contente com o pacote que trazia.

— Peça uma outra garrafa — disse Paulo.

— Para brindar o quê?

— Sua vinda ao Rio de Janeiro. O belo cenário que se vê da janela deste restaurante. E um presente que lhe trouxe.

J. olhou para fora, estavam num restaurante localizado no último andar do hotel onde se hospedava. A praia de Copacabana, lá embaixo, estava toda iluminada.

— O cenário merece um brinde — disse, chamando o garçom.

Quando já chegavam ao meio da segunda garrafa, Paulo colocou o pacote em cima da mesa.

— Se você me perguntasse o que é importante para mim — disse para J. —, eu responderia: o meu mestre. Foi ele quem me ensinou a entender que o Amor é a única coisa que não falha. Teve paciência de me conduzir pelos intrincados caminhos da magia. Teve coragem e dignidade de, apesar de seus poderes, mostrar-se sempre como uma pessoa com algumas dúvidas e certas fraquezas. Me fez entender as forças capazes de transformar nossas vidas.

— Já bebemos uma garrafa e meia — disse J. — Não quero falar de coisas sérias.

— Não estou falando de coisas sérias. Estou falando de coisas alegres, estou falando de Amor.

Ele empurrou o pacote para a frente de J.

— Abra.

— O que é isto?

— Uma maneira de dizer "obrigado". E passar para os outros todo o amor que me ensinou.

J. abriu o pacote. Eram quase duzentas páginas datilografadas. Na primeira folha estava escrito O ALQUIMISTA.

Paulo estava com os olhos brilhando.

— Isto é um novo livro — disse. — Veja a página seguinte.

Estava escrito: "Para J., alquimista que conhece e utiliza os segredos da Grande Obra."

Paulo esperara ansiosamente por este momento. Conseguiu guardar total segredo a respeito de estar escrevendo um livro novo, mesmo sabendo que J. havia gostado muito do livro anterior.

— Este é o original — continuou Paulo. — Gostaria que o lesse antes de mandá-lo para a editora.

Tentava entender os olhos de seu mestre. Mas eles tinham se tornado impenetráveis.

— Tenho reuniões o dia inteiro, amanhã — disse J. — Só poderei ler à noite. Podemos marcar um almoço para daqui a dois dias.

Paulo esperava uma reação diferente. Achou que J. ficaria alegre, comovido com a homenagem.

— Está bem — respondeu, escondendo seu desapontamento. — Virei daqui a dois dias.

J. pediu a conta e pagou. Caminharam juntos até o elevador, quase sem conversar. J. tocou o botão do 11.º andar.

Quando o elevador parou, J. apertou o botão de "emergência", para manter a porta aberta. Então aproximou-se de Paulo.

— Que o Cordeiro de Deus te proteja — disse, fazendo um sinal na testa do discípulo.

Paulo abraçou o mestre, e desejaram-se boa noite.

— Por que não tira cópias de seus originais? — disse J. enquanto desligava o botão e saía.

— Para dar a Deus a chance de desaparecer com eles, se esta for Sua vontade.

— Sábia decisão — Paulo escutou J. dizer, enquanto a porta se fechava. — Espero que os críticos literários jamais descubram onde você os guarda.

Dois dias depois tornaram a encontrar-se no mesmo restaurante.

"Vou afrouxar um pouco", pensou J. "Mas não muito."

— Existem certos segredos de alquimia descritos no seu livro que eu jamais comentei com você — disse. — E, no entanto, você acertou; estão corretos.

Paulo animou-se: J. estava falando o que ele queria ouvir.

— Andei estudando — justificou.

— Não, você não andou estudando — observou J. — E, no entanto, o que você escreveu está certo.

"Não consigo enganá-lo", pensou Paulo. "Gostaria de passar a imagem de alguém mais dedicado, e não consigo enganá-lo."

Ele olhou para o lado de fora. Um sol imenso brilhava, e a praia estava cheia.

— O que você está vendo neste imenso céu azul? — perguntou.

— Nuvens.

— Não — disse J. — Você está vendo a alma dos rios. Rios que acabam de renascer do mar. Que vão passear pelo céu até que, por algum motivo, se transformarão de novo em chuva e tornarão a correr pela face da Terra.

"São rios que voltam para a montanha, mas carregam a sabedoria do mar com eles."

Encheu o copo de água mineral. Não costumava beber de dia.

— Por isso você descobriu os segredos de que não lhe falei — disse J. — Porque você é um rio. Já esteve no mar, conhece sua sabedoria, nasceu e morreu muitas vezes. Tudo que precisa fazer é *lembrar.*

Paulo estava contente. Aquilo era uma espécie de elogio: Seu mestre estava dizendo que ele "descobrira segredos". Mas não tinha coragem de perguntar abertamente que segredos havia descoberto.

— Tenho uma nova tarefa para você — disse J.

"Por causa do seu livro. Porque sei que ele é importante para você, e não merece ser destruído", pensou. Mas Paulo não precisava saber disto.

Caminharam pelo aeroporto, com J. evitando qualquer conversa, e Paulo insistindo em saber alguma coisa a mais sobre a tarefa que seu mestre lhe dera uma semana antes. Conseguiram finalmente um lugar na lanchonete.

— Só pudemos fazer duas refeições juntos nesta minha estada no Rio — disse J. — Agora fazemos a terceira, para manter o ditado: "Tudo que acontece uma vez pode nunca mais acontecer. Mas, caso aconteça duas vezes, certamente acontecerá uma terceira."

J. estava de novo tentando mudar de assunto, mas Paulo sabia como evitar isto. Seu mestre havia gostado da homenagem, porque escutara — sem ser notado — uma conversa dele com o recepcionista do hotel. E, mais tarde, um dos amigos de J. se referira a Paulo como "o autor do livro".

Ele devia ter contado para todo mundo: afinal de contas, só existia um manuscrito original. "Vaidade das vaidades", disse para si mesmo. Agradecia a Deus por ter um mestre tão humano.

— Quero perguntar sobre a tarefa — disse mais uma vez. — Não quero perguntar "como", ou "onde". Sei que você não vai me responder.

— Pelo menos aprendeu alguma coisa este tempo todo — riu J.

— Você, numa conversa, me contou sobre um rapaz chamado Took, que havia conseguido fazer o que me pede agora. Vou atrás dele.

— Dei também endereço?

— Falou onde morava. Não deve ser difícil chegar lá.

— Não, não é.

A todo minuto uma voz anunciava pelo alto-falante a partida de um vôo. Paulo começou a ficar tenso, com medo de que não tivessem tempo de conversar.

— Embora não queira saber nem "como", nem "onde", você me ensinou que existe uma pergunta que todos nós devemos fazer, sempre que começamos qualquer coisa. A pergunta é a seguinte: "Para quê? Para que tenho que fazer isto?"

— Porque a gente sempre destrói aquilo que ama — disse J.

Paulo não entendeu a resposta, e mais uma vez o alto-falante anunciou um vôo.

— É meu avião — disse J. — Tenho que ir.

— Não entendi o que você disse.

J. pediu que Paulo pagasse a conta enquanto escrevia alguma coisa num guardanapo de papel.

— Apenas no século passado um homem conseguiu escrever sobre isto — disse, estendendo o papel para o discípulo. — Embora seja verdade há muitas gerações.

Paulo pegou o papel com todo cuidado. Por uma fração de segundo, imaginou que ali pudesse ter uma fórmula mágica. Mas, não, era uma poesia.

A gente sempre destrói aquilo que mais ama
em campo aberto, ou numa emboscada;
alguns com a leveza do carinho
outros com a dureza da palavra;
os covardes destroem com um beijo,
*os valentes, destroem com a espada.**

O garçom veio entregar o troco, mas Paulo não notou. As palavras terríveis não saíam de sua cabeça.

— Por isso, a tarefa — disse J. depois de um longo silêncio. — Para quebrar esta maldição.

— De uma maneira ou de outra, terminei destruindo o que amava — disse Paulo. — Vi meus sonhos ruírem quando se tornaram possíveis. Vi três casamentos destruídos. Sempre me pareceu que isto fazia parte da vida. Da minha vida, e da vida de todos.

— A maldição pode ser quebrada — tornou a dizer J. — Se você realizar a tarefa.

Caminharam em silêncio pelo aeroporto barulhento. J. pensava nos livros que seu discí-

---

* Oscar Wilde, *Balada do cárcere de Reading.*

pulo escrevera. Pensava em Chris. Pensava que tudo empurrava Paulo para a iniciação mágica que aparece algumas vezes na vida de todas as pessoas.

Paulo estava perto de realizar um grande sonho.

E isto significava perigo, porque o discípulo de J. era absolutamente igual a todos os outros seres humanos. Ia achar que não merecia o que conseguiu.

— São lindas as mulheres de sua terra — disse J., quando chegaram ao controle de passaportes. — Espero voltar sempre.

Mas Paulo estava sério.

— Então é para isso — disse, enquanto seu mestre entregava o passaporte para ser carimbado. — Para quebrar a maldição.

— Pelo amor. Pela vitória. E pela Glória de Deus — respondeu J.

AS VALKÍRIAS

Estava dirigindo há quase seis horas. Pela centésima vez, ele perguntou à mulher ao seu lado se aquele era o caminho certo.

Pela centésima vez, ela consultou o mapa. Sim, era o caminho certo. Embora tudo ao redor fosse verde, com um belo rio correndo, e árvores ao lado da estrada.

— É melhor pararmos num posto de gasolina e perguntar — disse ela.

Continuaram sem conversar, escutando músicas antigas numa estação de rádio. Chris sabia que não era preciso parar no posto, porque estavam no rumo — mesmo que o cenário à volta deles mostrasse uma paisagem completamente diferente. Mas conhecia bem o marido — Paulo estava tenso, desconfiado, achando que ela estava lendo o mapa de maneira errada. Ficaria mais tranqüilo se perguntasse a alguém.

— Por que viemos para cá?

— Para que eu possa cumprir minha tarefa — respondeu ele.

— Estranha tarefa — disse ela.

Realmente muito estranha, pensou ele. Conversar com seu anjo da guarda.

— Você vai conversar com seu anjo — disse ela, depois de algum tempo. — Mas, enquanto isso, que tal conversar um pouco comigo?

Ele continuou calado, concentrado na estrada, possivelmente achando que ela errara o caminho. "Não adianta insistir", pensou ela. Ficou torcendo para que um posto de gasolina aparecesse logo; haviam saído direto do aeroporto de Los Angeles para a estrada — ela tinha medo de que Paulo estivesse cansado demais, e cochilasse na direção.

E a droga do lugar não chegava nunca.

"Devia ter casado com um engenheiro", disse para si mesma.

Nunca se acostumaria com aquilo — largar tudo de repente, ir atrás de caminhos sagrados, espadas, conversas com anjos, fazer todo o possível para seguir adiante no caminho da magia. "Ele sempre teve a mania de largar tudo, mesmo antes de encontrar J."

Ficou lembrando do dia em que saíram juntos pela primeira vez. Tinham ido logo para a cama, e em uma semana ela já havia levado sua prancheta de trabalho para o apartamento dele. Os amigos comuns diziam que Paulo era um bruxo, e certa noite Chris telefonou para o pastor da igreja protestante que freqüentava pedindo que rezasse por ela.

Mas, no primeiro ano, ele não falara em magia uma única vez. Trabalhava numa gravadora, e isto era tudo.

No ano seguinte, a vida continuou igual. Ele pediu demissão, e foi trabalhar em outra gravadora.

No terceiro ano, ele tornou a pedir demissão (mania de largar tudo!), e resolveu escrever programas para a TV. Ela achava aquilo estranho, mudar de emprego todo ano — mas ele escrevia, ganhava dinheiro, e viviam bem.

Até que, no final do terceiro ano, resolveu — mais uma vez — sair do emprego. Não explicou nada, disse apenas que estava farto do que fazia, que não adiantava ficar pedindo demissão, mudando de um emprego para outro. Precisava descobrir o que queria. Tinham juntado algum dinheiro, e resolveram sair pelo mundo.

"Num carro, exatamente como agora", pensou Chris.

E haviam encontrado com J. em Amsterdam, enquanto tomavam um café no Brower Hotel e olhavam o canal Singel. Paulo ficou branco quando o viu, ansioso, e finalmente tomou coragem e foi até a mesa daquele senhor alto, de cabelos brancos e terno. Naquela noite, quando ficaram sozinhos de novo, ele bebeu uma garrafa inteira de vinho — era fraco na bebida, ficou logo bêbado — e só então falou que, durante sete anos, havia se dedicado a aprender magia (embora ela já soubesse isto, os amigos haviam contado). Entretanto, por alguma razão — que ele não explicou, embora ela perguntasse várias vezes — havia abandonado tudo.

"Mas tive a visão deste homem, dois meses atrás, no campo de concentração de Dachau", disse ele, referindo-se a J.

Ela lembrava-se daquele dia. Paulo chorara muito, dizendo que estava escutando um chamado, mas não sabia como atender.

"Devo voltar à magia?", perguntou ele.

"Deve", ela respondera, sem ter certeza do que dizia.

Desde o encontro com J., tudo havia mudado. Eram rituais, exercícios, práticas. Eram longas viagens com J., sempre sem data certa para voltar. Eram encontros demorados com homens estranhos e mulheres bonitas, todos com uma aura de sensualidade enorme vibrando em torno. Eram desafios e provas, longas noites sem dormir, e longos finais de semana sem sair de casa. Mas Paulo estava muito mais contente — não vivia mais pedindo demissão. Criaram juntos uma pequena editora, e ele conseguiu realizar um sonho antigo — escrever livros.

Um posto apareceu, afinal. Uma menina jovem, de traços índios, veio atendê-los. Os dois saltaram para caminhar um pouco enquanto a menina enchia o tanque do carro.

Paulo pegou o mapa e conferiu o roteiro. Estavam no caminho certo.

"Agora ele relaxou. Vai conversar comigo", pensou ela.

— J. mandou você encontrar com o anjo *aqui*? — perguntou com todo cuidado.

— Não — disse ele.

"Que bom, me respondeu", pensou ela enquanto olhava a vegetação brilhante. O sol começava a descer. Se não tivesse olhado várias vezes o mapa, também duvidaria que estivessem no caminho. Devia faltar menos de dez quilômetros para chegarem, e aquele cenário parecia dizer que ainda estavam longe, muito longe.

— J. não disse para vir para cá — continuou Paulo. — Qualquer lugar servia. Mas aqui eu tenho um contato, entende?

Claro que ela entendia. Paulo sempre tinha contatos. Ele se referia a estas pessoas como membros da Tradição; mas ela, quando escrevia seu diário, chamava de "Conspiração". Havia muito mais bruxos e feiticeiros do que as pessoas sonhavam.

— Alguém que conversa com anjos?

— Não tenho certeza. J. certa vez se referiu — muito de leve — a um mestre da Tradição que vive aqui, e que sabia como conversar com anjos. Mas pode ser apenas um boato.

Talvez estivesse falando sério. Mas Chris sabia que ele podia ter sorteado um lugar, um dos muitos lugares onde ele tinha "contatos". Um lugar onde se ficasse distante da vida diária, e pudesse se concentrar mais no Extraordinário.

— E como você vai conversar com seu anjo?

— Não sei.

"Que maneira estranha de viver", pensou. Acompanhou com os olhos o marido, enquanto ele se dirigia até a menina índia para pagar a conta. Sabia apenas que precisava conversar com anjos, e isto era tudo! Largar o que estava fazendo, pegar um avião, viajar doze horas até Los Angeles, dirigir seis horas até aquele posto, armar-se de suficiente paciência para ficar quarenta dias por ali, tudo isto para conversar — ou melhor, tentar conversar — com o anjo da guarda!

Ele riu para ela, e ela sorriu de volta. Afinal de contas, não era tão mau assim. Tinham seus aborrecimentos diários, tinham que pagar contas, descontar cheques, visitar gente por pura cortesia, engolir coisas difíceis.

Mas ainda acreditavam em anjos.

— Vamos conseguir — disse ela.

— Obrigado pelo "vamos" — ele respondeu. — Mas o mago aqui sou eu.

A menina do posto disse que estavam certos. Dirigiram mais dez minutos, desta vez com o rádio desligado. Havia uma pequena elevação, mas só quando chegaram no topo — e viram a paisagem lá embaixo — foi que perceberam como estavam alto. Passaram todas aquelas seis horas subindo devagar, sem sentir.

Mas tinham chegado.

Ele colocou o carro no acostamento e desligou o motor. Ela ainda olhou para trás, para ver se era verdade mesmo: sim, ela podia ver árvores verdes, plantas, vegetação.

E na sua frente, por todo o horizonte, estendia-se o Mojave. O enorme deserto que se espalhava por cinco estados americanos, que entrava pelo México, o deserto que ela vira tantas vezes nos filmes de cowboy quando era criança, o deserto que tinha lugares com nomes estranhos como Floresta do Arco-Íris ou Vale da Morte.

"É cor-de-rosa", pensou Chris. Mas não disse nada. Ele estava olhando fixo para aquela imensidão, quem sabe tentando descobrir onde moravam os anjos.

Quem ficar no meio da praça principal, pode ver onde Borrego Springs começa e onde termina. Entretanto, a cidadezinha possuía três hotéis. No inverno os turistas vinham ali lembrar o sol.

Deixaram a bagagem no quarto e foram jantar num restaurante de comida mexicana. O rapaz que atendeu ficou longo tempo por perto tentando entender que língua estavam falando e, como não conseguiu, terminou por perguntar. Ao saber que vinham do Brasil, disse que jamais conhecera um brasileiro.

— Agora conheço dois — riu.

Provavelmente, no dia seguinte, a cidade inteira saberia. Não havia muita novidade em Borrego Springs.

Acabaram de comer e foram passear, de mãos dadas, pelos arredores da cidade. Ele queria pisar no deserto, sentir o deserto, respirar o ar do Mojave. Terminaram se embrenhando no solo cheio de pedras e rochas; depois de meia hora de caminhada, podiam olhar para o leste e ver as poucas luzes distantes de Borrego Springs.

Ali podiam contemplar melhor o céu. Deitaram-se no chão e ficaram fazendo pedidos para as estrelas cadentes. Não havia lua, e as constelações brilhavam.

— Você já teve a sensação de que, em determinados momentos de sua vida, alguém a observa fazer as coisas? — Paulo perguntou.

— Como é que você sabe disso?

— Porque sei. São momentos em que, sem ter consciência, notamos a presença dos anjos.

Chris lembrou-se da adolescência. Naquela época, esta sensação era muito mais forte.

— Nesse momento — continuou ele —, começamos a criar uma espécie de filme, onde somos personagens principais e agimos na certeza de que alguém nos vigia.

"Mas aí, à medida que crescemos, começamos a achar isso ridículo. Parece que é sonho de criança que quer ser ator ou atriz de cinema. Esquecemos que, naqueles momentos em que representávamos para uma platéia invisível, a sensação de sermos vistos era muito forte."

Ficou em silêncio um momento.

— Quando olho o céu, muitas vezes esta sensação volta, acompanhada da mesma pergunta: quem está nos vigiando?

— Quem nos vigia? — perguntou ela.

— Anjos. Os mensageiros de Deus.

Ela mantinha os olhos fixos no céu. Queria acreditar naquilo.

— Todas as religiões, e todas as pessoas que já viram o Extraordinário, falam em anjos

— continuou Paulo. — O Universo está povoado de anjos. São eles que nos trazem a esperança, como o que anunciou aos pastores que um messias havia nascido. Trazem a morte, como o anjo exterminador que caminhou pelo Egito e destruiu os que não tinham um sinal na porta. São eles que podem nos impedir de entrar no Paraíso com uma espada de fogo na mão. Ou podem nos convidar para ele, como um anjo fez com Maria.

"Os anjos abrem os selos dos livros proibidos, tocam as trombetas do Juízo Final. Trazem a luz, como Miguel, ou as trevas, como Lúcifer."

Chris tomou coragem e fez a pergunta:

— Eles têm asas?

— Ainda não vi um anjo — ele respondeu. — Mas também quis saber isto. E perguntei a J.

"Que bom", pensou ela. Não era a única a querer saber coisas simples a respeito de anjos.

— J. me disse que eles tomam a forma que a gente imaginar. Porque são o pensamento vivo de Deus, e precisam se adaptar à nossa sabedoria e ao nosso entendimento. Sabem que, se não agirem desta maneira, não conseguimos vê-los.

Paulo fechou os olhos.

— Imagine seu anjo, e sentirá sua presença neste momento — concluiu.

Ficaram em silêncio, deitados no deserto. Não podiam ouvir qualquer ruído, e Chris começou a sentir-se de novo no mesmo filme de sua adolescência, onde representava para platéias invisíveis. Quanto mais se concentrava, mais tinha certeza de que, à sua volta, existia uma presença forte, amiga e generosa. Começou a imaginar seu anjo, vestiu-o exatamente como via nas gravuras da infância: roupa azul, cabelos dourados e imensas asas brancas.

Paulo também imaginava seu anjo. Já mergulhara muitas vezes no mundo invisível que o cercava, e aquilo não era novidade para ele. Mas agora, desde que J. lhe dera a tarefa, sentia que seu anjo estava muito mais presente — como se os anjos se fizessem notar apenas para aqueles que acreditavam na sua existência. Embora, a despeito do que o homem acreditasse ou não, eles sempre estivessem ali — mensageiros da vida, da morte, do inferno e do paraíso.

Vestiu um longo manto bordado de ouro no seu anjo, e também colocou asas.

O guarda que estava tomando o café da manhã na mesa ao lado virou-se para eles.

— Não tornem a ir para o deserto de noite — disse.

"Realmente esta é uma cidade muito pequena", pensou Chris. "Sabem de tudo."

— A noite é a hora mais perigosa — continuou o guarda. — Saem os coiotes, as cobras. Eles não suportam o calor do dia, e vão caçar quando o sol se põe.

— Estávamos vendo nossos anjos — respondeu Paulo.

O guarda achou que aquele homem não falava inglês direito. Sua frase não fazia sentido: "anjos"! Talvez tentasse dizer outra coisa.

Os dois tomaram o café às pressas. O "contato" havia marcado o encontro para bem cedinho.

Chris ficou surpresa quando viu Took pela primeira vez — era um garoto, não devia ter mais de vinte anos. Morava num trailer estacionado em pleno deserto, a alguns quilômetros de Borrego Springs.

— Um mestre da "Conspiração"? — ela disse baixo para Paulo depois que o rapaz entrou para trazer um chá gelado.

Mas o rapaz voltou antes que ele pudesse responder. Sentaram-se debaixo de uma lona estendida na lateral do veículo, que servia de "varanda".

Falaram dos rituais templários, da reencarnação, da magia sufi, dos caminhos da Igreja Católica na América Latina. O menino parecia ter uma vasta cultura, e era engraçado ver a conversa dos dois — pareciam aficionados conversando sobre algum esporte muito popular, defendendo certas táticas e atacando outras.

Falaram de tudo — menos de anjos.

O sol começou a esquentar, tomaram mais chá enquanto Took, sempre risonho, contava maravilhas sobre a vida no deserto — embora, advertiu, os principiantes jamais devessem sair durante a noite (o guarda tinha razão). Deviam, também, evitar as horas mais quentes do dia.

— Um deserto é feito de manhãs e tardes — contou. — O resto é arriscado.

Chris acompanhou a conversa durante longo tempo. Mas acordara muito cedo, a claridade do sol ficava cada vez mais forte, e ela resolveu fechar um pouco os olhos e tirar um cochilo.

. .

Quando acordou, o som das vozes não vinha mais do mesmo lugar. Os dois homens estavam na parte de trás do trailer.

— Por que você trouxe a mulher? — escutou Took dizer baixinho.

— Porque vinha para o deserto — respondeu Paulo, também baixinho.

Took riu.

— Está perdendo o melhor do deserto. A solidão.

("Que garoto metido", pensou Chris.)

— Fale-me delas — disse Paulo.

— Elas o ajudarão a ver seu anjo — continuou o americano.

(Outras mulheres. Sempre assim, outras mulheres!)

— Foram elas que me ensinaram. Mas as Valkírias são ciumentas e duras. Tentam seguir as leis dos anjos — e, você sabe, no reino dos anjos não existe nem o Bem e nem o Mal.

— Não da maneira como entendemos.

Era a voz de Paulo. Chris não sabia o que "Valkírias" significava. Lembrava-se vagamente de ter escutado este nome como título de uma música.

— Foi difícil para você ver o anjo?

— A palavra certa é "sofrido". Aconteceu de repente, na época em que as Valkírias passaram por aqui. Resolvi aprender o processo apenas para me distrair, porque, naquela altura, ainda não entendia a língua do deserto, e achava tudo muito chato.

"Meu anjo apareceu naquela terceira montanha. Eu estava lá distraído, ouvindo música num walkman. Naquela época eu dominava por completo a segunda mente. Agora ando mais distraído."

(Que diabos seria "segunda mente"?)

— Seu pai' lhe ensinara algo?

— Não. E, quando perguntei a ele por que não me falara de anjos, ele respondeu que certas coisas são tão importantes que a gente tem que descobrir sozinho.

Ficaram um instante em silêncio.

— Se você encontrá-las, existe algo que vai facilitar seu contato — disse o rapaz.

— O quê?

Took deu uma boa gargalhada.

— Você saberá. Mas seria muito melhor se tivesse vindo sem sua mulher.

— Seu anjo tinha asas? — perguntou Paulo.

Antes que Took pudesse responder, Chris já havia se levantado da cadeira de alumínio, dado a volta no trailer, e se colocado na frente dos dois.

— Por que ele insiste nesta história de que você estaria melhor sozinho? — disse, em português. — Quer que eu vá embora?

Took continuou a conversar com Paulo, sem prestar a menor atenção ao que Chris dizia. Ela esperou para ver se Paulo respondia — mas parecia ter ficado invisível.

— Me dá a chave do carro — disse, quando sua paciência esgotou.

— O que sua mulher deseja? — Took perguntou finalmente.

— Está querendo saber o que é "segunda mente".

(Danado! Nove anos juntos, e o outro já passa a saber até o momento em que acordamos!)

O rapaz levantou-se.

— Meu nome é Took (*recebido*, em inglês) — disse, olhando para ela. — Não é Gave (*dado*). Mas você é uma mulher bonita.

O elogio teve efeito imediato. O menino parecia saber tratar as mulheres, apesar de sua pouca idade.

— Sente-se, feche os olhos, e lhe mostro — disse.

— Não vim para o deserto aprender magia, ou conversar com anjos — disse Chris. — Vim acompanhar meu marido.

— Sente-se — insistiu Took, rindo.

Ela olhou uma fração de segundo para Paulo. Não conseguiu descobrir o que ele achava da proposta de Took.

"Respeito o mundo deles, mas não é o meu", pensou. Embora todos os amigos acreditassem que ela mergulhara no estilo de vida do marido, o fato é que conversavam muito pouco a respeito. Costumava acompanhá-lo a determinados lugares, carregara certa vez a sua espada em uma cerimônia, conhecia o Caminho de Santiago,* e tinha — por força das circunstâncias — aprendido um bocado sobre magia sexual! Mas isto era tudo.

J. jamais fizera tal proposta: ensinar algo.

— Que faço? — perguntou para Paulo.

— O que você decidir — ele respondeu.

"Eu o amo", pensou. Aprender algo sobre seu mundo, com certeza, a aproximaria mais

---

* A participação de Chris no Caminho de Santiago é descrita em O DIÁRIO DE UM MAGO (Ed. Rocco, 1987).

dele. Dirigiu-se à cadeira de alumínio, sentou-se e fechou os olhos.

— Em que está pensando? — perguntou Took.

— No que vocês falavam. Em Paulo viajando sozinho. Em segunda mente. Se o seu anjo tinha asas. E por que isto está me interessando tanto. Afinal de contas, acho que nunca conversei sobre anjos.

— Não, não. Quero saber se existe outra coisa acontecendo em seu pensamento. Algo que você não controla.

Ela sentiu as mãos dele tocando os lados de sua cabeça.

— Relaxe, relaxe — o tom de sua voz estava mais suave. — Em que você está pensando?

Havia sons. E vozes. Só agora ela se dava conta do que estava pensando, embora estivesse com aquilo na cabeça quase um dia inteiro.

— Uma música — respondeu. — Estou cantando sem parar essa música desde que escutei ontem no rádio, quando estávamos vindo para cá.

Sim, ela estava cantando esta música sem cessar, começava e acabava, acabava e começava de novo. Não conseguia tirá-la da cabeça.

Took pediu que ela tornasse a abrir os olhos.

— Esta é a segunda mente — disse. — A que está cantando a música. Podia ser uma preocupação qualquer. Ou, se você estivesse apaixonada, podia ter *aí dentro* a pessoa com quem gostaria de estar, ou que desejaria esquecer.

Mas a segunda mente não é fácil: ela trabalha independente de sua vontade.

Ele virou-se para Paulo e riu.

— Uma música! Igual à gente, que também vive cheia de músicas na segunda mente! As mulheres deviam estar sempre apaixonadas, e não com músicas na cabeça! Você nunca teve amores aprisionados na "segunda mente"?

Os dois gargalhavam.

— São os piores amores, amores terríveis! — continuou Took, sem conseguir conter o riso. — Você viaja, tenta esquecer, mas a segunda mente fica o tempo todo dizendo: "ele ia adorar isto!" "Puxa, que bom se ele estivesse aqui!"

Os dois se dobraram de rir. Chris não deu importância à brincadeira. Estava surpresa — nunca havia parado para pensar nisto.

Tinha duas mentes. Que funcionavam ao mesmo tempo.

Took parara de rir e agora estava ao seu lado.

— Torne a fechar os olhos — disse. — E relembre o horizonte que você estava vendo.

Ela tentou imaginar. Mas deu-se conta de que não olhava o horizonte.

— Não consigo — disse de olhos fechados. — Não reparei direito. Sei o que está à minha volta, mas não lembro do horizonte.

— Abra os olhos. E olhe. — Chris olhou. Eram montanhas, rochas, pedras, uma vegetação rasteira e esparsa. E um sol que brilhava cada vez mais forte parecia atravessar seus óculos escuros e queimar seus olhos. — Você está aqui — disse Took com a voz muito séria. — Procure entender que você está aqui, e as coisas que a cercam transformam você — da mesma maneira que você as transforma.

Chris fitava o deserto.

— Para penetrar no mundo invisível, desenvolver seus poderes, você tem que viver no presente, *aqui e agora.* Para viver no presente, tem que controlar a segunda mente. E olhar o horizonte.

O rapaz pediu-lhe que se concentrasse na música que, sem querer, estava cantando (era *When I fall in love.* Não sabia toda a letra, e ficava inventando palavras ou fazendo tum-lara-tum-tum).

Chris se concentrou. Em pouco tempo a música desapareceu. Ela agora estava completamente alerta, atenta às palavras de Took.

Mas Took parecia não ter mais nada para dizer.

— Preciso ficar um pouco sozinho agora — disse. — Voltem daqui a dois dias.

Trancaram-se no ar condicionado do quarto do motel, sem ânimo para enfrentar os cinqüenta graus do meio-dia. Nenhum livro, nada interessante. Fazendo hora, tentando dormir e não conseguindo.

— Vamos conhecer o deserto — disse Paulo.

— Está muito quente. Took disse que era perigoso. Vamos deixar para amanhã.

Paulo não respondeu. Ela estava certa de que ele tentava transformar o fato de ficar trancado no quarto do motel numa espécie de aprendizado. Tentava dar sentido a tudo que acontecia em sua vida, e falava apenas para descarregar as tensões.

Mas era impossível; tentar dar sentido a tudo era manter-se alerta e tenso o tempo inteiro. Paulo nunca relaxava, e ela perguntou-se quando ficaria cansado daquilo tudo.

— Quem é Took?

— Seu pai é um poderoso mago, e quer manter a tradição na família — assim como os pais engenheiros querem que o filho siga a sua carreira.

— É jovem, e quer se comportar como velho. Está perdendo os melhores anos de sua vida no deserto.

— Tudo tem um preço. Se Took passar por tudo isto — e não desistir da Tradição — vai ser o primeiro de uma série de mestres mais jovens, integrados num mundo que os velhos, embora compreendam, não sabem mais como explicar.

Paulo deitou-se e começou a ler a única coisa disponível: *Guia de Alojamentos do Deserto de Mojave.* Não queria contar para sua mulher que, além de tudo o que dissera, havia mais uma razão para Took estar ali: era um paranormal poderoso, preparado pela Tradição para agir enquanto as portas do Paraíso estivessem abertas.

Chris queria conversar. Sentia-se angustiada presa num quarto de motel, decidida a não dar "um sentido a tudo", como fazia seu marido. Era um ser humano, não estava ali aspirando a um lugar na comunidade dos eleitos.

— Não entendi o que Took me ensinou — insistiu com Paulo. — A solidão e o deserto podem fazer com que a gente tenha um imenso contato com o mundo invisível. Mas acho que nos faz perder o contato com os outros.

— Ele deve ter suas namoradas por aqui — disse Paulo, lembrando-se do "magia e mulheres" de seu mestre e querendo encerrar a conversa.

"Se tiver que passar mais 39 dias trancada com ele, eu me suicido", Chris prometeu a si mesma.

À tarde, foram a uma lanchonete que ficava do outro lado da rua. Paulo escolheu uma mesa na janela.

— Quero que você preste bastante atenção nas pessoas que passarem — disse.

Pediram sorvetes imensos. Ela ficara várias horas prestando atenção na sua segunda mente, e conseguia controlá-la muito melhor. Seu apetite, porém, sempre fugia a qualquer controle.

Fez o que Paulo pediu. Em quase meia hora, apenas cinco pessoas passaram diante da janela.

— O que você viu?

Ela descreveu as pessoas em detalhes — roupas, idade aproximada, o que carregavam. Mas, aparentemente, não era isto que ele desejava saber. Insistiu bastante, tentou arrancar uma resposta melhor, mas não conseguiu.

— Está bem — disse ele no final, dando-se por vencido. — Vou dizer o que queria que reparasse.

"Todas as pessoas que passaram pela rua estavam olhando ligeiramente para baixo."

Ficaram algum tempo esperando mais uma pessoa passar. Paulo tinha razão.

— Took pediu para você olhar o horizonte. Faça isto.

— O que isso quer dizer?

— Todos nós, homens e animais, criamos uma espécie de "espaço mágico" ao nosso redor. Geralmente é um círculo de cinco metros de raio — e prestamos atenção a tudo que entra ali. Não importa se são pessoas, mesas, telefones ou vitrines: tentamos manter o controle deste pequeno mundo que nós mesmos criamos.

"Os magos, porém, olham sempre para longe. Eles ampliam este 'espaço mágico', e tentam controlar muito mais coisas. Chamam isto de *olhar o horizonte.*"

— E por que devo fazer isto?

— Porque você está aqui. Faça e verá como as coisas mudam.

Quando saíram da lanchonete, ela manteve sua atenção nas coisas distantes. Notou as montanhas, as raras nuvens que apareciam apenas quando o sol se punha, e — estranha sensação — parecia estar vendo o ar à sua volta.

— Tudo o que Took falar é importante — disse ele. — Já viu e conversou com seu anjo, e vai usar você para me ensinar. Entretanto, conhece o poder das palavras; sabe que os conselhos que não são ouvidos voltam para quem os deu, e perdem sua energia. Ele precisa ter certeza de que você está interessada no que ele lhe diz.

— Por que não mostra diretamente para você?

— Porque existe uma regra não escrita na Tradição: um mestre jamais ensina ao discípulo de outro mestre. Eu sou discípulo de J.

"Mas ele quer me ajudar. Então está escolhendo você para isto."

— Foi para isso que você me trouxe?

— Não. Foi porque eu tinha medo de ficar sozinho num deserto.

"Ele podia ter respondido que foi por amor", pensou ela enquanto passeavam a pé pela cidade. Esta seria a resposta verdadeira.

Pararam o carro na margem da pequena estrada de terra batida. Took dissera para olhar sempre o horizonte. Os dois dias haviam passado, se encontrariam com ele aquela noite — e ela estava animada com isso.

Mas ainda era de manhã. E os dias do deserto eram longos.

Olhou, mais uma vez, o horizonte: montanhas que surgiram de repente, alguns milhões de anos atrás, e que cruzavam o deserto numa larga cordilheira. Embora aqueles terremotos já tivessem acontecido há muito tempo, até hoje se podia ver como o chão havia sido rasgado — o solo ainda subia, liso, por boa parte das montanhas, até que, a determinada altura, uma espécie de ferida se abria e lá de dentro surgiam rochas que se projetavam para o céu.

Entre as montanhas e o carro havia o vale pedregoso com a vegetação rasteira, os espinhos, as iúcas, os cactos, a vida que insistia em aparecer num ambiente que não a desejava. E uma imensa mancha branca, do tamanho de cinco estádios de futebol, destacava-se no meio daquilo tudo. Brilhava com o sol da manhã como se fosse um campo de neve.

— Sal. Um lago de sal.

Sim. Aquele deserto, um dia, também devia ter sido um mar. Uma vez por ano, as gaivotas do oceano Pacífico viajavam centenas de quilômetros terra adentro para chegar no deserto e comer uma espécie de camarão que surgia quando as chuvas chegavam. O homem esquece suas origens; a natureza, nunca.

— Deve estar a uns cinco quilômetros — disse Chris.

Paulo consultou o relógio. Ainda era cedo. Olhavam o horizonte, e o horizonte mostrava um lago de sal. Uma hora de caminhada para ir, outra para voltar, sem o risco de sol muito forte.

Cada um colocou na cintura seu cantil com água. Paulo colocou cigarros e uma Bíblia na pequena bolsa. Quando chegassem lá, ia sugerir que lessem, ao acaso, algum trecho.

Começaram a andar. Chris estava conseguindo manter, sempre que possível, os olhos fixos no horizonte. Embora aquilo fosse tão simples, alguma coisa estranha estava acontecendo; sentia-se maior, mais livre, como se sua energia interior tivesse aumentado. Pela primeira vez em muitos anos, arrependeu-se por não conviver mais intensamente com a "Conspiração" de Paulo — imaginara sempre rituais muito mais difíceis, que apenas pessoas preparadas e com muita disciplina conseguiam executar.

Caminharam sem pressa, durante meia hora. O lago parecia ter mudado de lugar; estava sempre à mesma distância.

Caminharam mais uma hora. Deviam já ter coberto quase sete quilômetros, e o lago estava apenas "um pouquinho" mais perto.

Já não era de manhã bem cedo. O sol começava a esquentar muito.

Paulo olhou para trás. Podiam ver o carro, um ponto minúsculo, vermelho — mas ainda visível, impossível se perder. E quando olhou o carro se deu conta de algo muito importante.

— Vamos parar aqui — disse.

Desviaram um pouco do caminho, e chegaram perto de uma rocha. Ficaram bem encostados nela: não havia quase sombra. No deserto inteiro, as sombras só apareciam de manhã cedo ou à tarde junto das rochas.

— Erramos o cálculo — disse.

Chris já havia percebido isto. Achara estranho, porque Paulo estava acostumado a calcular distâncias e confiara nos cinco quilômetros que ela previra.

— Sei por que erramos — continuou ele. — Porque nada, no deserto, nos permite fazer comparações. Estamos acostumados a calcular a distância pelo tamanho das coisas. Sabemos o tamanho aproximado de uma árvore. Ou de um poste. Ou de uma casa. Isto nos ajuda a saber se as coisas estão longe ou perto.

Ali não tinham ponto de referência. Eram pedras que nunca tinham visto, montanhas que não sabiam o tamanho, e a vegetação rasteira. Paulo se dera conta disso ao ver o carro. Ele sabia o tamanho de um carro. E sabia que já tinham caminhado mais de sete quilômetros.

— Vamos descansar um pouco e voltar.

"Tanto faz", pensou ela. Estava fascinada com a idéia de ficar olhando o horizonte. Era uma experiência completamente nova em sua vida.

— Esta história de olhar, Paulo...

Ele esperou que Chris continuasse. Sabia que ela estava com medo de dizer bobagem, ficar inventando significados esotéricos, como muitas pessoas ligadas ao ocultismo faziam.

— Parece... não sei explicar... que minha alma cresceu.

Sim, pensou Paulo. Estava no caminho certo.

— Antes, eu olhava para longe, e aquilo estava realmente "longe", entende? Parecia não fazer parte do meu mundo. Porque eu sempre estava olhando para perto, para as coisas à minha volta.

"Até que, dois dias atrás, me acostumei a olhar a distância. E percebi que, além de mesas, cadeiras, objetos, meu mundo incluía montanhas, nuvens, céu. E minha alma — minha alma parece usar os olhos para tocar nestas coisas!"

"Puxa! Conseguiu explicar muito bem!", pensou ele.

— Minha alma parece ter crescido — insistiu Chris.

Ele abriu a bolsa, tirou o maço de cigarros, e acendeu um.

— Qualquer um pode ver isso. Mas estamos sempre olhando para perto, para baixo e para dentro. Então, usando o seu próprio termo, nosso poder diminui, e nossa alma encolhe.

"Porque ela não inclui nada além de nós mesmos. Não inclui mares, montanhas, outras pessoas, não inclui nem mesmo paredes dos lugares onde vivemos."

Paulo gostou da expressão "minha alma cresceu". Se estivesse conversando com um ocultista ortodoxo, na certa teria ouvido explicações muito mais complicadas, como "minha consciência expandiu". Mas o termo que sua mulher utilizara era muito mais exato.

O cigarro acabou. Já não valia mais a pena insistir na ida até o lago; breve a temperatura estaria de novo em torno dos cinqüenta graus à sombra. O carro estava longe, mas visível, e, em uma hora e meia de caminhada, estariam de novo lá.

Começaram a voltar. Estavam cercados pelo deserto, pelo imenso horizonte, e a sensação de liberdade crescia na alma dos dois.

— Vamos tirar a roupa — disse Paulo.

— Pode ter alguém nos olhando — Chris falou automaticamente.

Paulo riu. Podiam ver tudo ao redor. No dia anterior, quando passearam pela manhã e à tarde, apenas dois carros passaram — e, mesmo assim, escutaram o ruído muitíssimo antes de os veículos aparecerem. O deserto era sol, vento, e silêncio.

— Apenas nossos anjos estão olhando — respondeu. — E já nos viram nus muitas vezes.

Tirou a bermuda, a camiseta, o cantil, e colocou tudo na bolsa que levava.

Chris controlou-se para não rir. Fez a mesma coisa, e em pouco tempo caminhavam pelo deserto do Mojave duas pessoas de tênis, bonés e óculos escuros — uma delas carregando uma bolsa pesada. Se alguém estivesse vendo, acharia muito engraçado.

Andaram meia hora. O carro era um ponto no horizonte mas, ao contrário do lago, crescia à medida que se aproximavam dele. Em pouco tempo chegariam lá.

Só que, de repente, ela estava com uma imensa preguiça.

— Vamos descansar um pouco — pediu.

Paulo parou quase que imediatamente.

— Não agüento carregar isto — reclamou. — Estou cansado.

Como é que ele não agüentava? Tudo aquilo, incluindo os dois cantis de água, não devia pesar mais de três quilos.

— Tem que levar. A água está aí dentro.

Sim, era preciso levar.

— Então vamos embora logo — disse, malhumorado.

"Tudo estava tão romântico há alguns minutos", pensou ela. E agora ele estava de mau humor. Não ia ligar para isso — estava com preguiça.

Andaram mais um pouco, e a preguiça foi aumentando. Mas, se dependesse dela, não comentaria nada — não queria irritá-lo mais.

"Que bobo", tornou a pensar. Ficar de mau humor no meio daquela beleza toda, e logo depois de conversarem assuntos tão interessantes como...

Ela não conseguia lembrar, mas não tinha importância. Estava também com preguiça de pensar agora.

Paulo parou e colocou a bolsa no chão.

— Vamos descansar — disse.

Não parecia mais irritado. Devia estar com preguiça também. Igual a ela.

Não havia sombra. Mas ela também precisava descansar.

Sentaram-se no chão quente. O fato de estarem nus, o fato de a areia queimar a pele, não fez muita diferença. Precisavam parar. Um pouco.

Ela conseguiu lembrar-se sobre o que estavam conversando: horizontes. Reparou que agora, mesmo que não quisesse, tinha a sensação de alma crescida. E, além do mais, a segunda mente parara de funcionar por completo. Não pensava em músicas, ou em coisas repetitivas, não pensava nem mesmo se alguém os olhava caminhando nus pelo deserto.

Tudo estava perdendo a importância; sentia-se relaxada, despreocupada, livre.

Ficaram alguns minutos em silêncio. Estava quente, mas o sol também não incomodava. Se incomodasse muito, tinham bastante água no cantil.

Ele levantou-se primeiro.

— Acho melhor andar. Falta pouco para o carro. A gente descansa lá, no ar condicionado.

Ela estava com sono. Queria dormir só um pouquinho. Mesmo assim, levantou-se.

Andaram um pouco mais. O carro agora estava bastante perto. Não mais que dez minutos de caminhada.

— Já que estamos tão perto, por que não dormimos? Cinco minutos.

Dormir cinco minutos? Por que ele dizia isto? Será que adivinhara seu pensamento? E também estava com sono?

Não havia qualquer mal em cochilar cinco minutos. Ficariam bronzeados, ela pensou. Como se estivessem na praia.

Sentaram-se de novo. Já estavam andando há mais de uma hora, excluindo-se as paradas. Que mal havia em cochilar cinco minutos?

Escutaram o ruído de um carro. Meia hora atrás ela teria dado um salto e vestido rapidamente a roupa.

Mas agora, bem, aquilo não tinha a menor importância. Só olha quem quer. Não precisava dar satisfações a ninguém.

Queria dormir, só isto.

Os dois viram uma caminhonete aparecer na estrada, passar pelo carro deles, e parar mais adiante. Um homem desceu, e se aproximou do veículo. Olhou para dentro, e começou a andar em torno do carro, examinando tudo.

"Pode ser um ladrão", pensou Paulo. Imaginou o sujeito roubando o carro, e deixando os dois naquela imensidão, sem ter como voltar. A chave estava na ignição — ele não havia carregado consigo, com medo de perdê-la.

Mas estava no interior dos Estados Unidos. Em Nova York, talvez, mas ali — ali não roubavam carros.

Chris olhava o deserto — como estava dourado! Uma sensação agradável, de descanso, começava a tomar conta de todo seu corpo. O sol não incomodava — as pessoas não sabiam como o deserto podia ser belo durante o dia!

Dourado! Diferente do deserto cor-de-rosa dos finais de tarde!

O sujeito parou de olhar o carro, e colocou a mão sobre os olhos, como uma viseira. Estava procurando os dois.

Ela estava nua... e ele acabaria vendo. Mas que importância tinha isso? Paulo parecia não estar muito preocupado, tampouco.

O homem agora andava em direção a eles. A sensação de leveza e euforia aumentava cada vez mais, embora a preguiça fizesse com que não se movessem do lugar. O deserto era dourado, e lindo. E tudo estava tranqüilo, em paz — os anjos, sim, os anjos se mostrariam daqui a pouco! Era para isso que tinham vindo ao deserto — para conversar com anjos!

Estava nua, e não tinha vergonha. Era uma mulher livre.

O homem parou em pé, na frente dos dois. Falava uma língua diferente. Eles não entendiam o que ele estava dizendo.

Mas Paulo fez um esforço; e viu que o homem falava inglês. Afinal de contas, estavam nos Estados Unidos.

— Venham comigo — ele disse.

— Vamos descansar — respondeu Paulo. — Cinco minutos.

O homem pegou a bolsa no chão, e abriu.

— Vista isto — disse para Chris, estendendo a roupa.

Ela levantou-se com muito esforço, e obedeceu. Estava com preguiça de discutir.

Ele mandou que Paulo se vestisse. Paulo também estava com preguiça de discutir. O homem olhou os cantis cheios de água, abriu um deles, encheu a pequena tampa, e mandou que bebessem.

Não tinham sede. Mas fizeram o que o homem mandava. Estavam muito calmos, em completa paz com o mundo — e sem qualquer desejo de discutir.

Fariam qualquer coisa, obedeceriam qualquer ordem, desde que ele os deixasse em paz.

— Vamos andar — disse o homem.

Já não conseguiam pensar muito — apenas olhar o deserto. Fariam qualquer coisa, desde que aquele estranho os deixasse dormir logo.

O homem seguiu com eles até o carro, pediu que entrassem, e ligou o motor. "Onde estará nos levando?", pensou Paulo. Mas não conseguia ficar preocupado — o mundo estava em paz, e tudo o que queria fazer era dormir um pouco.

Acordou com o estômago dando voltas, e uma imensa vontade de vomitar.

— Fica quieto mais um pouco.

Alguém estava falando com ele, mas sua cabeça era uma imensa confusão. Lembrava-se ainda do paraíso dourado, onde tudo era paz e tranqüilidade.

Tentou mover-se, e sentiu como se milhares de agulhas se cravassem em sua cabeça.

"Vou dormir de novo", pensou. Mas não conseguia — as agulhas não se descravavam. O estômago continuava dando voltas.

— Quero vomitar — disse.

Quando abriu os olhos, viu que estava sentado numa espécie de minimercado; várias geladeiras, com refrigerantes dentro, e prateleiras com comida. Olhou aquilo e sentiu mais enjôo. Então reparou, à sua frente, num homem que nunca vira antes.

Ele ajudou-o a levantar-se. Paulo percebeu que, além das agulhas imaginárias na cabeça, tinha também uma outra no braço. Só que esta era de verdade.

O homem pegou o soro preso na agulha e os dois caminharam até o banheiro. Ele vomitou um pouco de água, nada mais.

— O que está acontecendo? O que significa esta agulha?

Era a voz de Chris, falando em português. Voltou para o pequeno mercado, e viu que ela também estava sentada, com o soro injetado nas veias.

Paulo agora sentia-se um pouco melhor. Não precisava mais da ajuda do homem.

Ajudou Chris a levantar-se, ir ao banheiro, e vomitar também.

— Vou levar seu carro, e pegar o meu — disse o estranho. — Deixo no mesmo lugar, com a chave na ignição. Peça uma carona para ir até lá.

Ele estava começando a se lembrar do que acontecera, mas o enjôo retornara e teve que vomitar de novo.

Quando voltou, o homem já havia saído. Eles então repararam que outra pessoa estava ali — um rapaz, com seus vinte e poucos anos.

— Mais uma hora — disse o rapaz. — O soro acaba, e vocês podem ir embora.

— Que horas são?

O rapaz respondeu. Paulo fez um esforço para se levantar — tinha um encontro, e não queria faltar de jeito algum.

— Preciso ver Took — falou para Chris.

— Sente-se — disse o rapaz. — Só quando o soro acabar.

O comentário era desnecessário. Ele não tinha força ou disposição para caminhar até a porta.

"Foi-se o encontro", pensou. Mas, a esta altura, nada tinha muita importância. Quanto menos pensasse, melhor.

— Quinze minutos — disse Took. — Depois disso, vem a morte, e você nem percebe.

Estavam de novo no velho trailer. Era a tarde do dia seguinte, e tudo em volta estava cor-de-rosa. Nada parecido com o deserto do dia anterior — dourado, de imensa paz, e vômitos, e enjôo.

Há 24 horas não conseguiam dormir ou comer — vomitavam tudo que colocavam para dentro. Mas agora a sensação estranha estava passando.

— Ainda bem que o horizonte de vocês estava expandido — continuou o rapaz. — E que estavam pensando em anjos. Um anjo apareceu.

Era melhor dizer "a alma havia crescido", pensou Paulo. Além disso, o sujeito que apareceu não era um anjo — tinha uma caminhonete velha, e falava inglês. Aquele garoto já estava começando a ver coisas.

— Vamos logo — disse Took, pedindo que Paulo ligasse o carro.

Sentou-se no banco dianteiro, sem a menor cerimônia. E Chris, blasfemando em português, foi para o banco de trás.

Took começou a dar instruções — pegue este caminho aqui, siga para lá, ande rápido para que o carro refrigere bem, desligue o ar condicionado para não esquentar o motor. Várias vezes saíram das precárias estradas de terra e adentraram o deserto. Mas Took sabia tudo, não cometia erros como eles.

— O que houve ontem? — insistiu Chris pela centésima vez. Sabia que Took alimentava a expectativa; embora já tivesse visto seu anjo da guarda, agia como qualquer rapaz de sua idade.

— Insolação — respondeu ele finalmente. — Será que vocês nunca viram filme de deserto?

Claro que já. Homens sedentos, se arrastando pela areia em busca de um pouco de água.

— Nós não estávamos com sede. Os dois cantis estavam cheios de água.

— Não falo disso — cortou o americano. — Refiro-me às roupas.

As roupas! Os árabes com aquelas roupas longas, vários mantos — um por cima do outro. Sim, como fomos tão burros? Paulo já tinha escutado tanto sobre isso, já estivera em três outros desertos... e nunca sentira vontade de tirar a roupa. Mas ali, naquela manhã, depois da frustração do lago que não chegava nunca... "Como pude ter uma idéia tão imbecil?", pensou.

— Quando vocês tiraram a roupa, a água do corpo começou a evaporar imediatamente.

Não dá nem para suar por causa do clima completamente seco. Em quinze minutos, vocês já estavam desidratados. Não existe sede nem nada — apenas um leve senso de desorientação.

— E o cansaço?

— O cansaço é a morte chegando.

"Não deu para notar que era a morte", Chris disse para si mesma. Se algum dia precisasse escolher uma maneira suave de deixar este mundo, voltaria a andar nua pelo deserto.

— A grande maioria das pessoas que morrem no deserto, morrem com água no cantil. A desidratação é tão rápida que nos sentimos como quem bebeu uma garrafa inteira de uísque ou tomou um enorme comprimido de calmante.

Took pediu que, a partir de agora, bebessem água o tempo inteiro — mesmo sem sede, porque a água precisava estar dentro do corpo.

— Mas apareceu um anjo — concluiu ele.

Antes que Paulo pudesse dizer o que pensava a respeito, Took mandou que parassem perto de um morro.

— Vamos descer aqui, e fazer o resto do caminho a pé.

Começaram a andar por uma pequena trilha, que levava até o alto. Logo nos primeiros minutos, Took lembrou-se que esquecera a lanterna no carro. Voltou, pegou-a, e ficou sentado algum tempo no capô, olhando o vazio.

"Chris tem razão; a solidão faz mal às pessoas. Ele está se comportando de uma maneira estranha", pensou Paulo enquanto olhava o rapaz sentado lá embaixo.

Mas, segundos depois, ele já havia subido de novo o pequeno trecho que tinham caminhado, e passou a acompanhar os dois.

Em quarenta minutos, sem maiores dificuldades, estavam no topo do monte. Havia uma vegetação rala, e Took pediu que sentassem de frente para o norte. Sua atitude, muito expansiva, havia mudado — agora parecia mais concentrado e distante.

— Vocês vieram em busca de anjos — disse, sentando-se também ao lado deles.

— Eu vim — disse Paulo. — E sei que você conversou com um.

— Esqueça meu anjo. Muita gente, neste deserto, já conversou ou viu seu anjo. E também muita gente nas cidades, e nos mares, e nas montanhas.

Havia um certo tom de impaciência na voz dele.

— Pense no seu anjo da guarda — continuou. — Porque meu anjo está aqui, e eu posso vê-lo. Este é meu lugar sagrado.

Tanto Paulo quanto Chris lembraram a primeira noite no deserto. E imaginaram de novo os seus anjos, com as roupas, e as asas.

— Tenham sempre um lugar sagrado. O meu já foi dentro de um pequeno apartamento, já foi uma praça em Los Angeles, e agora é aqui. Um canto sagrado abre uma porta para o céu, e o céu penetra.

Os dois ficaram olhando o lugar sagrado de Took: rochas, o solo duro, a vegetação rasteira. Talvez algumas cobras e coiotes passeassem de noite por ali.

Took parecia estar em transe.

— Foi aqui que consegui ver o meu anjo, embora soubesse que ele está em todos os lugares, que sua face é a face do deserto onde vivo, ou da cidade onde morei dezoito anos.

"Conversei com meu anjo porque tinha fé na existência dele. Porque tinha esperança no seu encontro. E porque o amava."

Nenhum dos dois ousou perguntar qual havia sido a conversa. Took continuou:

— Todo mundo pode contatar quatro tipos de entidades no mundo invisível: os elementais, os espíritos desencarnados, os santos, e os anjos.

"Os elementais são as vibrações das coisas da natureza — do fogo, da terra, da água e do ar — e nós os contatamos por meio do ritual. São forças puras — como os terremotos, os raios ou os vulcões. Porque precisamos entendê-los como 'seres', aparecem sob a forma de duendes, de fadas, de salamandras; mas tudo que o homem pode fazer é usar o poder dos elementais — jamais aprenderá qualquer coisa com eles."

"Por que ele está dizendo isto?", pensou Paulo. "Será que não se lembra que também sou um Mestre em magia?"

Took seguia sua explicação:

— Os espíritos desencarnados são aqueles que estão vagando entre uma vida e outra, e nós os contatamos por meio da mediunidade. Alguns são grandes mestres — mas tudo que eles ensinam nós podemos aprender na Terra, porque eles também aprenderam aqui. Melhor, então, deixá-los caminhar em direção ao próximo passo, olharmos mais nosso horizonte e procurar tirar *daqui* a sabedoria que eles tiraram.

"Paulo deve saber isso", pensou Chris. "Ele está falando para mim."

Sim, Took falava para aquela mulher — por causa dela estava ali. Nada tinha a ensinar a Paulo, vinte anos mais velho que ele, mais experiente, e que, se pensasse duas vezes, descobriria a forma de conversar com o anjo. Paulo era discípulo de J. — e como Took ouvia falar de J.! No primeiro encontro, tentou diversas maneiras de fazer o brasileiro falar, mas a mulher atrapalhara tudo. Não conseguiu saber as técnicas, os processos, os rituais que J. usava.

Aquele primeiro encontro o desapontara profundamente. Pensou que o brasileiro talvez estivesse usando o nome de J. sem que o Mestre soubesse. Ou, quem sabe, J. errara pela primeira vez na escolha do discípulo — e se fosse isso, em breve toda a Tradição iria descobrir. Mas, naquela noite do encontro, sonhou com seu anjo da guarda.

E seu anjo pediu que ele iniciasse a mulher no caminho da magia. Apenas iniciar: o marido faria o resto.

No sonho, ele argumentou que já havia ensinado o que era segunda mente e havia pedido que ela olhasse o horizonte. O anjo disse que prestasse atenção ao homem, mas que cuidasse da mulher. E desapareceu.

Era treinado para ter disciplina. Estava, agora, fazendo o que o seu anjo pedira — e esperava que isto fosse visto lá em cima.

— Depois dos espíritos desencarnados — continuou ele —, aparecem os santos. Estes são os verdadeiros Mestres. Viveram conosco algum dia, e estão agora próximos da luz. O grande ensinamento dos santos são suas vidas aqui na Terra. Ali está tudo que precisamos saber, basta imitá-los.

— E como invocamos os santos? — perguntou Chris.

— Pela oração — respondeu Paulo, cortando a palavra de Took. Não estava com ciúmes — embora fosse claro para ele que o americano queria brilhar para Chris.

"Ele respeita a Tradição. Vai usar minha mulher para me ensinar. Mas por que está sendo tão primário, repetindo coisas que já sei?", pensou.

— Invocamos os santos pela oração constante — Paulo continuou a falar. — E quando eles estão perto, tudo se transforma. Os milagres acontecem.

Took notou o tom agressivo do brasileiro. Mas não falaria sobre o sonho com o anjo, não devia satisfações a ninguém.

— Finalmente — Took pegou de novo a palavra —, existem os anjos.

Talvez o brasileiro não soubesse mesmo esta parte, embora parecesse conhecer um bocado de outros assuntos. Took fez uma longa pausa. Ficou em silêncio, rezou baixinho, lembrou-se do seu anjo, torceu para que ele estivesse escutando cada palavra. E pediu para ser claro porque — ah, Deus! — era muito, muito difícil explicar.

— Os anjos são amor em movimento. Que não pára nunca, que luta para crescer, que está além do bem e do mal. O amor que tudo devora, que tudo destrói, que tudo perdoa. Os anjos são feitos desse amor, e, ao mesmo tempo, são seus mensageiros.

"O amor do anjo exterminador, que carrega um dia nossa alma, e do anjo da guarda, que a traz de volta. O amor em movimento."

— O amor em guerra — disse ela.

— Não existe amor em paz. Quem for por aí, está perdido.

"O que um garoto desses entende de amor? Vive só, no deserto, e jamais se apaixonou", pensou Chris. E, no entanto, por mais que se esforçasse, não conseguia lembrar de um só momento em que o amor lhe trouxera paz. Sempre viera acompanhado de agonias, êxtases, alegrias intensas e tristezas profundas.

Took virou-se para eles:

— Vamos ficar quietos um pouco, para que nossos anjos escutem o barulho que existe atrás de nosso silêncio.

Chris ainda pensava no amor. Sim, o rapaz parecia ter razão, embora ela pudesse jurar que ele conhecia tudo aquilo apenas em teoria. "O amor só descansa quando está perto de morrer, que estranho." Como era estranho tudo o que estava experimentando, principalmente a sensação de "alma crescida".

Nunca havia pedido a Paulo para ensinar-lhe nada — ela acreditava em Deus, e isto era suficiente. Respeitava a busca do marido, mas — talvez porque fosse tão próximo, ou porque soubesse que ele tinha defeitos como todos os outros homens — jamais havia se interessado.

Mas não conhecia Took. Ele dissera: "Procure olhar o horizonte. Preste atenção à sua segunda mente." E ela obedeceu. Agora, com a alma crescida, estava descobrindo como era bom e quanto tempo havia perdido.

— Por que precisamos conversar com o anjo? — disse Chris, interrompendo o silêncio.

— Descubra com ele.

Took não se irritou com seu comentário. Se ela tivesse perguntado a Paulo, teria levado uma bronca.

Rezaram um Pai-Nosso e uma Ave-Maria. Então o americano disse que podiam descer.

— Só isso? — Paulo estava desapontado.

— Quis trazê-los aqui para que meu anjo visse que fiz o que ele mandou — respondeu Took. — Não tenho nada mais a lhe ensinar; se quiser saber de algo, pergunte às Valkírias.

A volta foi feita num silêncio constrangedor — interrompido apenas nos momentos em que Took dava as indicações do caminho. Mas ninguém queria conversar com ninguém — Paulo, porque achava que Took o enganara; Chris, porque Paulo podia ficar aborrecido com seus comentários, achar que ela estava estragando tudo; e Took, porque sabia que o brasileiro estava decepcionado, e, por causa disso, não falaria sobre J. e suas técnicas.

— Você está errado em uma coisa — disse Paulo quando chegaram diante do trailer. — Não foi um anjo que encontramos ontem. Foi um sujeito numa caminhonete.

Por uma fração de segundo, Chris achou que a frase ficaria sem resposta — a agressividade entre os dois era cada vez maior. O americano chegou a andar em direção à sua "casa", mas de repente voltou-se.

— Vou lhe contar uma história que meu pai me contou — disse. — Um mestre e seu discípulo caminhavam pelo deserto, e o mestre ensinava que podiam confiar sempre em Deus, pois Ele tomava conta de tudo.

"Chegou a noite, e resolveram acampar. O mestre montou a tenda, e o discípulo ficou encarregado de amarrar os cavalos numa pedra. Mas, ao chegar à pedra, pensou consigo mesmo:

" 'O mestre está me testando. Disse que Deus toma conta de tudo, e me pediu para amarrar os cavalos. Quer ver se confio ou não em Deus.'

"Em vez de prender os animais, fez uma longa oração e entregou a guarda a Deus.

"No dia seguinte, quando acordaram, os cavalos haviam desaparecido. Decepcionado, o discípulo foi se queixar ao mestre e disse que não confiava mais nele, pois Deus não cuidava de tudo, esquecera de vigiar os cavalos.

" '— Você está errado' — respondeu o mestre. '— Deus queria cuidar dos cavalos. Mas, naquele momento, precisava usar suas mãos para amarrá-los à pedra.' "

O rapaz acendeu um pequeno lampião a gás que estava pendurado do lado de fora do trailer. A luz ofuscou um pouco o brilho das estrelas.

— Quando começamos a pensar no anjo, ele começa a se manifestar. Sua presença se torna cada vez mais próxima, mais viva. Só que, num primeiro momento, eles se mostram como vêm fazendo ao longo de toda a vida: através dos outros.

"O seu anjo usou aquele homem. Deve ter retirado ele de casa cedo, mudado alguma coisa em sua rotina, ajeitado tudo para que ele pudesse estar ali justamente no momento em que vocês precisavam. Isto é um milagre. Não tente transformar num acontecimento comum."

Paulo ouvia em silêncio.

— Quando íamos subir a montanha, esqueci a lanterna — continuou Took. — Você deve ter reparado que fiquei algum tempo no carro. Sempre que esqueço alguma coisa na hora de sair de casa, sinto que meu anjo da guarda está agindo. Está me fazendo atrasar uns poucos segundos — e esse pouco tempo pode significar coisas muito importantes. Pode me livrar de um acidente, ou fazer com que eu encontre alguém que necessitava.

"Por isso, depois que pego o que esqueci, sempre me sento e conto até vinte. Assim, o anjo tem tempo de agir. Um anjo usa muitos instrumentos."

O americano pediu a Paulo que esperasse um pouco. Entrou no trailer, e voltou com um mapa.

— A vez mais recente em que vi as Valkírias foi aqui.

Apontou um lugar no mapa. A agressividade entre os dois parecia ter diminuído muito.

— Cuide dela — disse Took. — Foi bom ela ter vindo.

— Acho que sim — respondeu Paulo. — Obrigado por tudo.

E se despediram.

— Como tenho sido burro! — disse Paulo, dando um soco no volante, assim que se afastaram um pouco.

— Burro? Achei que você estava com ciúmes!

Mas Paulo estava rindo, de ótimo humor.

— Quatro processos! E ele só falou três! É com o quarto processo que se conversa com o anjo!

Ele virou-se para Chris. Seus olhos brilhavam de alegria.

— O quarto processo: a canalização!

Quase dez dias no deserto. Pararam num lugar onde o chão se abria numa série de feridas, como se rios pré-históricos tivessem corrido por ali, dezenas deles, deixando aquelas rachaduras compridas, fundas, que o sol se encarregava de tornar cada vez maiores.

Ali não existiam nem os escorpiões, nem as cobras, nem os coiotes, nem a sempre presente erva rasteira. O deserto estava cheio destes lugares chamados *badlands,* as terras malditas.

Os dois entraram em uma daquelas imensas feridas. As paredes de terra eram altas, e tudo que podiam ver era um caminho tortuoso, sem começo ou fim.

Já não eram mais os dois aventureiros irresponsáveis, achando que nada de mau podia acontecer. O deserto tinha suas leis, e matava quem não as respeitasse. Haviam aprendido estas leis — os rastros de cobra, as horas de sair, as precauções com a segurança. Antes de entrar nas *badlands*, deixaram um bilhete no carro dizendo para onde se dirigiam. Mesmo que fosse por apenas meia hora, e aquilo parecesse desnecessário, ridículo, se acontecesse alguma coisa, um carro podia parar, e alguém veria o bilhete e saberia a direção que os dois tinham tomado. Precisavam facilitar a tarefa dos instrumentos do anjo da guarda.

Buscavam as Valkírias. Não ali, naquele final de mundo — porque nenhuma vida resiste por muito tempo nas *badlands*. Ali — bem, ali era apenas um treino. Para Chris.

Mas as Valkírias estavam por perto, e alguma coisa parecia dizer isto. Deixavam rastros. Viviam pelo deserto, não paravam em nenhum lugar — mas deixavam rastros.

Os dois tinham conseguido algumas pistas. No começo, haviam visitado uma cidadezinha após outra, perguntando pelas Valkírias, e ninguém ouvira falar delas. A indicação de Took não havia servido para nada — provavelmente tinham passado já há muito tempo pelo lugar que ele apontara no mapa. Mas um dia, num bar, encontraram um rapaz que se lembrava de ter lido algo a respeito delas. Então ele descreveu a roupa que usavam — e os rastros que deixavam.

Os dois passaram a perguntar por mulheres com aquele tipo de vestimenta. As pessoas faziam ar de desaprovação, e contavam que tinham partido há um mês, há uma semana, há três dias.

Finalmente, estavam agora a um dia de viagem do lugar onde elas poderiam estar.

O sol já estava perto do horizonte — ou não arriscariam caminhar pelo deserto. As paredes de terra projetavam sombra. O lugar era perfeito.

Chris não agüentava mais repetir tudo aquilo. Mas precisava — ainda não havia conseguido resultados importantes.

— Sente-se aqui. De costas para o sul.

Ela fez o que Paulo estava mandando. E depois, automaticamente, começou a relaxar. Estava com as pernas cruzadas, os olhos fechados — mas podia sentir o deserto inteiro à sua volta. Sua alma crescera durante todos esses dias, sabia que o mundo era mais vasto, muito mais vasto do que duas semanas atrás.

— Concentre-se na segunda mente — disse ele.

Chris percebia o tom de inibição na sua voz. Não podia se comportar com ela da mesma maneira que se comportava com outros discípulos — afinal, ela conhecia suas falhas e fraquezas. Mas Paulo fazia um supremo esforço para agir como um mestre, e ela o respeitava por isso.

Concentrou-se na segunda mente. Deixou que todos os pensamentos lhe viessem à cabeça — e, como sempre, eram pensamentos absurdos para quem estava no meio de um

deserto. De três dias para cá, sempre que começava o exercício, dava-se conta de que seu pensamento automático estava muito preocupado com quem ela devia convidar para a festa de seu aniversário — daqui a três meses.

Mas Paulo havia pedido que não ligasse para isto. Que deixasse suas preocupações fluírem livremente.

— Vamos repetir tudo de novo — ele disse.

— Estou pensando na minha festa.

— Não lute contra os seus pensamentos, eles são mais fortes que você — disse Paulo pela milésima vez. — Se quiser livrar-se deles, aceite-os. Pense no que eles querem que você pense, até que se cansem.

Ela fazia a lista dos convidados. Tirou alguns. E colocou outros. Este era o primeiro passo: dar atenção à segunda mente até que esta se cansasse.

Agora a festa de aniversário já desaparecia com mais rapidez. Mesmo assim, ainda fazia a lista. Era inacreditável como um assunto desses pudesse preocupá-la tantos dias, ocupar tantas horas em que podia estar pensando em coisas mais interessantes.

— Pense até cansar. Então, quando cansar, abra o canal.

Paulo afastou-se da mulher e encostou-se no barranco. O garoto era esperto, embora levasse muito a sério aquela história de não se poder ensinar nada ao discípulo de um outro mestre. Mas, através de Chris, havia lhe dado todas as pistas de que precisava.

A quarta maneira de se comunicar com o mundo invisível era a canalização.

Canalização! Quantas vezes ele vira pessoas dentro de carros nos engarrafamentos, conversando sozinhas, sem perceber que executavam um dos mais sofisticados processos de magia! Diferente da mediunidade, que exigia uma certa perda de consciência durante o contato com os espíritos, a canalização era o processo mais natural que o ser humano usava para mergulhar no desconhecido. Era o contato com o Espírito Santo, com a Alma do Mundo, com os Mestres Iluminados que habitavam lugares remotos do Universo. Não era preciso ritual, nem incorporação, nem nada. Todo ser humano sabia, inconscientemente, que existia uma ponte para o invisível ao alcance de suas mãos, pela qual ele podia trafegar sem medo.

E todos os homens tentavam, mesmo que não se dessem conta. Todos se surpreendiam dizendo coisas que nunca pensaram, dando conselhos do tipo "não sei por que estou dizendo isto", fazendo certas coisas que não combinavam muito.

E todos gostavam de ficar olhando os milagres da natureza — uma tempestade, ou um pôr-do-sol, prontos para entrar em contato com a Sabedoria Universal, pensar em coisas realmente importantes, exceto...

... exceto que, nestes momentos, o muro invisível aparecia.

A segunda mente.

A segunda mente estava ali, barrando a entrada, com suas coisas repetitivas, seus assuntos sem importância, suas músicas, seus problemas financeiros, suas paixões mal-resolvidas.

Levantou-se e voltou para perto de Chris.

— Tenha paciência e escute tudo o que a segunda mente tem a dizer. Não responda. Não argumente. Ela se cansa.

Chris refez, mais uma vez, a lista de convidados, embora já tivesse perdido o interesse naquilo. Quando acabou, colocou um ponto-final.

E abriu os olhos.

Estava ali, naquela ferida da terra. Sentiu o ar abafado à sua volta.

— Abra o canal. Comece a falar.

Falar!

Sempre tivera medo de falar, de parecer ridícula, burra. Medo de saber o que os outros pensavam do que dizia, porque eles sempre pareciam mais preparados, mais inteligentes, sempre com respostas para tudo.

Mas agora era assim, precisava ter coragem, mesmo que estivesse dizendo coisas absurdas, frases sem sentido. Paulo havia explicado que isto era uma das maneiras da canalização: falar. Vencer a segunda mente, e depois deixar que o Universo tomasse conta dela, e a usasse como queria.

Começou a mexer a cabeça, simplesmente porque estava com vontade de fazer aquilo, e de repente teve vontade de realizar ruídos estranhos com a boca. Fez os ruídos. Nada era ridículo. Ela estava livre para agir como bem entendesse.

Não sabia de onde vinham essas coisas — e entretanto vinham de dentro, do fundo de sua alma, e se manifestavam. De vez em quando a segunda mente voltava com suas preocupações, e Chris tentava organizar tudo aquilo, mas era necessário que fosse assim — sem lógica, sem censura, com a alegria de um guerreiro que está entrando num mundo desconhecido. Ela precisava falar a linguagem pura do coração.

Paulo escutava em silêncio, e Chris sentia sua presença. Estava absolutamente consciente, mas livre. Não podia se preocupar com o que ele estava pensando — tinha que continuar falando, fazendo os gestos que dava vontade, cantando as músicas estranhas. Sim, tudo devia ter um sentido, porque jamais havia escutado esses ruídos, essas músicas, essas palavras e movimentos. Era difícil, havia sempre o medo de estar fantasiando as coisas, querendo parecer mais em contato com o Invisível do que realmente estava, mas venceu o medo do ridículo e foi em frente.

Hoje estava acontecendo algo diferente. Já não fazia aquilo por obrigação, como nos primeiros dias. Estava gostando. E começava a se sentir *segura.* Uma onda de segurança ia e voltava, e Chris tentou desesperadamente agarrar-se a ela.

Para manter a onda perto, precisava falar. Qualquer coisa que lhe viesse à mente.

— Vejo essa terra — sua voz era pausada, calma, embora a segunda mente aparecesse de vez em quando, dizendo que Paulo devia estar achando tudo aquilo ridículo. — Estamos num lugar seguro, podemos ficar aqui de noite, olhar as estrelas deitados no chão, e conversar sobre anjos. Não existem escorpiões, cobras, ou coiotes.

(Será que ele acha que estou inventando? Que quero impressioná-lo? Mas tenho vontade de dizer isso!)

— O planeta reservou certos lugares só para ele. Pede para irmos embora. Nestes lugares, sem os milhões de formas de vida que caminham por sua superfície, a Terra consegue ficar sozinha. Também ela precisa de solidão, pois procura entender a si mesma.

(Por que digo isso? Ele vai achar que quero me exibir. Estou consciente!)

Paulo olhou em volta. O leito seco do rio parecia gentil, suave. Mas inspirava terror, o terror da solidão total, da completa ausência de vida.

— Tem uma oração — continuou Chris. A segunda mente agora já não conseguia mais fazer com que ela se sentisse ridícula.

Mas, de repente, teve medo. Medo de não saber que oração, não saber como continuar.

E quando teve medo, a segunda mente voltou, e voltou o ridículo, a vergonha, a preocupação com Paulo. Afinal de contas, ele era o bruxo — sabia mais que ela, devia estar achando tudo aquilo falso.

Respirou fundo. Concentrou-se no presente, na terra onde nada crescia, no sol que já estava se escondendo. Aos poucos, a onda de segurança foi voltando — como um milagre.

— Tem uma oração — repetiu.

E irá ecoar
claramente
no céu
quando eu vier
fazendo barulho

Ficou algum tempo em silêncio, sentindo que dera o máximo de si, que a canalização acabara. Depois virou-se para ele.

— Fui longe demais hoje. Nunca tinha acontecido assim.

Paulo passou a mão em sua cabeça, e deu-lhe um beijo. Ela não sabia se ele estava fazendo aquilo por pena, ou por orgulho.

— Vamos embora — disse. — Respeitemos o desejo da terra.

"Talvez esteja dizendo isto para me dar um estímulo, para que continue a tentar a canalização", pensou. Entretanto, tinha certeza — alguma coisa havia acontecido. Não inventara tudo aquilo.

— A oração — perguntou ela, ainda com medo da resposta.

— É um velho canto indígena. Dos feiticeiros Ojibuei.

Ficava sempre orgulhosa com a cultura do marido, embora ele dissesse que não servia para nada.

— Como podem acontecer estas coisas?

Paulo lembrou-se de J. falando sobre os segredos de alquimia no seu livro: "As nuvens são rios que já conhecem o mar." Mas teve preguiça de explicar. Andava tenso, irritado, sem saber exatamente por que continuava no deserto; afinal de contas, já sabia como conversar com o anjo da guarda.

— Você viu o filme *Psicose*? — perguntou para Chris, quando chegaram ao carro.

Ela confirmou com a cabeça.

— No filme, a atriz principal morre no banheiro, logo nos primeiros dez minutos. No deserto, eu descobri como se conversa com os anjos no terceiro dia. E no entanto, prometi a mim mesmo que ficaria quarenta dias aqui e agora não posso mudar de idéia.

— Mas tem as Valkírias.

— As Valkírias! Posso viver sem elas, entende?

("Ele está com medo de não encontrá-las", pensou Chris.)

— Já sei conversar com os anjos, isto é que é importante! — o tom de voz de Paulo era agressivo.

— Estava pensando nisso — respondeu Chris. — Você já sabe, e, entretanto, *não quer tentar.*

"Este é o meu problema", Paulo disse para si mesmo, enquanto ligava o carro. "Preciso de emoções fortes. Preciso de desafios."

Olhou para Chris. Ela lia, distraída, o *Manual de Sobrevivência no Deserto* que tinham comprado numa das cidadezinhas por onde passaram.

Deu a partida no carro. Começaram a andar por mais uma daquelas imensas retas que pareciam não acabar nunca.

"Não é só um problema da busca espiritual", continuou pensando, enquanto alternava seu olhar entre Chris e a estrada. Estava farto do casamento, mesmo sabendo que amava a mulher. Precisava de emoções fortes no amor, no trabalho, em quase tudo que fazia em sua vida. Assim, contrariava uma das mais importantes leis da Natureza: todo movimento precisa de repouso.

Sabia que, se continuasse dessa forma, nada em sua vida duraria muito. Começava a entender o que J. queria dizer com "a gente destrói aquilo que mais ama".

Dois dias depois chegaram a Gringo Pass, um lugar que tinha apenas um motel, um minimercado, e o prédio da alfândega. A fronteira com o México ficava a apenas alguns metros, e os dois tiraram uma série de fotografias de pernas abertas, com um pé em cada país.

Foram até o minimercado. Perguntaram sobre as Valkírias, e a dona da lanchonete disse que tinha visto "aquelas lésbicas" na parte da manhã, mas não estavam mais ali.

— Seguiram para o México? — quis saber Paulo.

— Não, não. Pegaram a estrada em direção a Tucson.

Andaram de volta até o motel, e sentaram-se na varanda. O carro estava estacionado bem na frente deles.

— Veja como este automóvel está cheio de poeira — disse Paulo, depois de alguns minutos. — Quero lavá-lo.

— O dono do motel não vai gostar de saber que a gente está usando água para isso. Estamos no deserto, lembra?

Paulo não disse nada. Levantou-se, tirou a caixa de lenços de papel do porta-luvas, e começou a limpar o carro. Ela continuou na varanda.

"Ele está agitado. Não consegue ficar quieto", pensou Chris.

— Quero lhe falar algo sério — disse.

— Você tem feito bem seu trabalho, não se preocupe — respondeu ele, enquanto gastava um lenço de papel atrás do outro.

— É justamente sobre isto que quero lhe falar — insistiu Chris. — Não vim aqui para fazer um trabalho. Vim porque achei que nosso casamento estava acabando.

"Ela também está sentindo isso", pensou ele. Mas continuou concentrado em sua tarefa.

— Sempre respeitei sua busca espiritual, mas tenho a minha — disse Chris. — E vou continuar tendo, quero deixar isso bem claro. Vou continuar indo à igreja.

— Também vou à igreja.

— Mas isso aqui é diferente, você sabe. Você escolheu esta maneira de comunicar-se com Deus, e eu escolhi outra.

— Sei disso. Não quero mudar.

— Entretanto — ela respirou fundo, porque não sabia qual seria a resposta dele —, alguma coisa está acontecendo comigo. Eu também quero conversar com meu anjo.

Levantou-se, e foi até onde ele estava. Começou a catar os lenços de papel espalhados pelo chão.

— Me faz um favor? — disse, olhando no fundo dos olhos do marido. — Não me abandone no meio do caminho.

O posto de gasolina tinha uma pequena lanchonete na parte dos fundos.

Sentaram-se perto da janela de vidro. Tinham acabado de acordar, e o mundo ainda estava quieto. Do lado de fora, a planície, a imensa reta asfaltada e o silêncio.

Chris sentiu saudades de Borrego Springs, de Gringo Pass, e de Indio. Naqueles lugares o deserto tinha rosto, montanhas, vales, histórias de pioneiros e conquistadores.

Aqui, porém, tudo que podia ver era a imensidão vazia. E o sol. O sol que daqui a pouco ia colorir tudo de amarelo, elevar a temperatura até 55°C à sombra (embora não houvesse sombra), e tornar a vida insuportável para homens e animais.

O rapaz veio atendê-los. Era chinês, e ainda falava com sotaque — não devia estar ali há muito tempo. Chris imaginou quantas voltas o mundo precisou dar para trazer aquele chinês até uma lanchonete no meio do deserto.

Pediram café, ovos, bacon e torradas. E continuaram em silêncio.

Chris reparou os olhos do rapaz — pareciam fitar o horizonte, pareciam olhos de quem tem a alma crescida.

Mas não, ele não fazia um exercício sagrado, ou tentava desenvolver-se espiritualmente. Aquilo era um olhar de tédio. O rapaz não estava vendo nada — nem o deserto, nem a estrada, nem os dois fregueses que apareceram de manhã bem cedo. Limitava-se a repetir os movimentos que lhe haviam ensinado — colocar o café na máquina, fritar os ovos, dizer "posso ajudá-los?", ou "obrigado" como se fosse um animal amestrado, sem sentimentos ou reflexos. O sentido de sua vida parecia ter ficado na China, ou desaparecido na imensidão da planície sem árvores ou rochedos.

O café chegou. Começaram a tomar sem pressa. Não tinham onde ir.

Paulo olhou o carro lá fora. De nada havia adiantado limpá-lo dois dias atrás. Estava de novo coberto de poeira.

Escutaram um pequeno ruído ao longe. Daqui a pouco ia passar o primeiro caminhão do dia. O rapaz deixaria de lado seu torpor, os ovos e o bacon e iria olhar para fora tentando identificar alguma coisa, querendo sentir-se parte de um mundo que se movia, que passava na frente da lanchonete. Era tudo o que ele podia fazer: olhar de longe e ver o mundo passar. Provavelmente já não sonhava mais em largar a lanchonete um dia e pedir carona em um daqueles caminhões. Estava viciado em Silêncio e Vazio.

O ruído começou a aumentar, e não se parecia com o motor de um caminhão. Por um instante, o coração de Paulo encheu-se de esperança. Mas era apenas esperança, nada mais. Procurou não pensar nisso.

Aos poucos, o ruído foi crescendo. Chris virou-se para ver o que acontecia lá fora.

Paulo manteve os olhos fixos no café. Tinha medo de que ela percebesse sua ansiedade.

Os vidros do restaurante tremeram levemente com o barulho. O rapaz parecia não dar muita importância — conhecia aquele ruído, e não gostava dele.

Mas Chris olhava fascinada. O horizonte enchera-se de brilho, o sol refletia nos metais, e — na sua imaginação — o barulho parecia sacudir as ervas, o asfalto, o teto, o restaurante, as vidraças.

Com um estrondo, elas entraram no posto de gasolina, e a estrada reta, o deserto plano, a erva rasteira, o rapaz chinês, os dois brasileiros que procuravam um anjo, tudo foi afetado por aquela presença.

Os belos cavalos deram voltas e mais voltas no posto, perigosamente próximos um do outro, os chicotes estalando no ar, as mãos enluvadas brincando com a habilidade e o perigo. Elas gritavam como os cowboys tocando seu gado, queriam acordar o deserto, dizer que estavam vivas e alegres por causa da manhã. Paulo tinha levantado os olhos, e olhava fascinado, mas o medo continuava no seu coração. Podia ser que não parassem ali, que estivessem fazendo tudo aquilo apenas para despertar o rapaz chinês, explicar para ele que ainda existia vida, alegria, e habilidade.

De repente, obedecendo a um sinal invisível, os animais pararam.

As Valkírias desceram. As roupas de couro, os lenços coloridos tapando parte do rosto, deixando só os olhos de fora, para não respirarem a poeira.

Tiraram os lenços, e esfregaram nas roupas negras, sacudindo o deserto de seus corpos. Depois colocaram-nos no pescoço, e entraram na lanchonete.

Eram oito mulheres.

Não pediram nada. O rapaz chinês parecia saber o que queriam — já estava colocando ovos, bacon, torradas na chapa aquecida. Mesmo com toda aquela gente, ele continuava parecendo uma máquina obediente.

— Por que o rádio está desligado? — perguntou uma delas.

A obediente máquina chinesa foi lá e ligou o rádio.

— Aumente — disse outra.

O robô chinês colocou no volume máximo. A sensação era que, de repente, o esquecido posto de gasolina havia se transformado numa discoteca de Nova York. Algumas das mulheres acompanhavam o ritmo com palmas, enquanto outras tentavam conversar aos gritos, no meio daquela barulheira toda.

Mas uma delas não se movia, não se interessava pela conversa, nem pelas palmas, nem pelo café da manhã.

Fixava o olhar em Paulo. E Paulo, apoiando o queixo com a mão esquerda, sustentava o olhar da mulher.

Chris também olhou para ela. Parecia ser a mais velha, com os cabelos ruivos, encaracolados, compridos.

Sentiu uma pontada no coração. Alguma coisa estranha, muito estranha, estava acontecendo — embora não soubesse explicar. Talvez o fato de ter olhado o horizonte todos aqueles dias — ou treinado sem parar a canalização — estivesse mudando a maneira de ver as coisas à sua volta. Os pressentimentos estavam presentes, e se manifestavam.

Fingiu não notar que os dois se olhavam. Mas seu coração dava sinais estranhos — e não sabia se eram bons ou ruins.

"Took estava certo", pensava Paulo. "Disse que seria muito fácil estabelecer contato com elas."

Aos poucos, as outras Valkírias foram percebendo o que se passava. Primeiro, observaram a mais velha, e, acompanhando seu olhar, viram a mesa em que Paulo e Chris estavam sentados. Já não conversavam mais, e não acompanhavam com o corpo o ritmo da música.

— Desligue o rádio — disse a mais velha para o chinês.

Como sempre, ele obedeceu. Agora, o único ruído que se podia ouvir era dos ovos e do bacon fritando na chapa.

A mais velha levantou-se e dirigiu-se até a mesa. Ficou em pé, ao lado dos dois. As outras acompanhavam a cena.

— Onde arranjou este anel? — perguntou.

— Na mesma loja em que você comprou seu broche — respondeu ele.

Foi então que Chris notou um broche de metal preso na jaqueta de couro. Tinha o mesmo desenho do anel que Paulo usava no dedo anular da mão esquerda.

"Por isso ele estava com a mão no queixo."

Ela já vira muitos anéis da Tradição da Lua — de todas as cores, metais e formatos — sempre na forma de uma serpente, o símbolo da sabedoria. Nunca, entretanto, vira um semelhante ao de seu marido. Uma das primeiras providências de J. tinha sido entregar aquele anel, dizendo que assim ele completava "a Tradição da Lua, um ciclo interrompido pelo medo". Era o ano de 1982, e ela estava com Paulo e J. na Noruega.

E agora, no meio do deserto — uma mulher com o broche. O mesmo desenho.

"As mulheres sempre reparam em jóias."

— O que você quer? — tornou a perguntar a ruiva.

Paulo também ficou de pé. Os dois se olharam, frente a frente. O coração de Chris apertou mais ainda — tinha absoluta certeza de que não era ciúme.

— O que você quer? — repetiu ela.

— Conversar com meu anjo. E mais uma coisa.

Ela pegou a mão de Paulo. Passou seus dedos no anel, e, pela primeira vez, havia um toque feminino naquela mulher.

— Se você comprou este anel na mesma loja que eu, deve saber como se faz — disse, com os olhos fixos nas serpentes. — Se não comprou, venda para mim. É uma bela jóia.

Não era uma jóia. Era apenas um anel de prata, com duas serpentes. Cada serpente tinha duas cabeças, e o desenho era muito simples.

Paulo não respondeu nada.

— Você não sabe conversar com anjos, e este anel não é seu — disse a Valkíria depois de algum tempo.

— Sei, sim. Canalização.

— Exato — respondeu a mulher. — Nada além disso.

— Eu disse que queria mais uma coisa.

— O quê?

— Took viu o seu anjo. Quero ver o meu. Conversar com ele, frente a frente.

— Took?

Os olhos da mulher ruiva percorreram o passado, tentando recordar quem era Took, onde vivia.

— Sim, agora me lembro — disse. — Ele vive no deserto. Justamente porque viu seu anjo.

— Não. Ele aprende a ser Mestre.

— Este negócio de ver anjo é pura lenda. Basta conversar com ele.

Paulo deu um passo em direção à Valkíria.

Chris conhecia o truque que seu marido estava usando: ele chamava de "desestabilização". Normalmente duas pessoas sempre conversam mantendo um braço de distância entre elas. Quando uma se aproxima demais, o raciocínio da outra fica desorientado, sem que perceba o que está acontecendo.

— Quero ver meu anjo. — Ele estava bem próximo da mulher, e mantinha os olhos fixos nela.

— Para quê? — a Valkíria parecia intimidada. O truque estava dando resultado.

— Porque estou desesperado, e precisando de ajuda. Conquistei coisas importantes para mim, e vou destruí-las porque digo a mim mesmo que elas perderam o sentido. Sei que é mentira, que elas continuam importantes e, se as destruir, estarei destruindo a mim também.

Ele mantinha o mesmo tom de voz, sem demonstrar qualquer emoção pelo que dizia.

— Quando descobri que para conversar com o anjo bastava a canalização, perdi o interesse. Não era mais um desafio, era algo que já conhecia bem. Então notei que meu caminho na magia estava prestes a acabar; o Desconhecido estava ficando familiar demais para mim.

Chris estava surpresa com a confissão, feita num lugar público, diante de pessoas que nunca tinha visto.

— Para continuar neste caminho, preciso de algo maior — concluiu ele. — Preciso de montanhas cada vez mais altas.

A Valkíria ficou um momento sem dizer nada. Também ela estava surpresa com a conversa do estrangeiro.

— Se eu lhe ensinar como ver um anjo, o desejo de buscar montanhas cada vez mais altas pode desaparecer — disse, afinal. — E isto nem sempre é bom.

— Não, nunca vai desaparecer. O que vai sumir é essa idéia de que as montanhas conquistadas são baixas demais. Vou manter aceso meu amor por aquilo que consegui. Era o que o meu mestre estava tentando me dizer.

"Talvez ele esteja também falando de casamento", pensou Chris.

A Valkíria estendeu a mão para Paulo.

— Meu nome é M. — disse ela.

— Meu nome é S. — respondeu Paulo.

Chris levou um susto. Paulo havia dado seu nome mágico! Poucas, pouquíssimas pessoas conheciam este segredo, já que a única maneira de se causar certo mal a um mago é usando seu nome mágico. Por isso, só quem fosse de absoluta confiança poderia saber.

Paulo acabara de encontrar aquela mulher. Não podia confiar tanto nela.

— Entretanto, pode me chamar de Vahalla — disse a ruiva.

"Lembra o nome do paraíso viking", pensou Paulo, enquanto lhe dava também o nome de batismo.

A ruiva pareceu relaxar um pouco. Pela primeira vez olhou para Chris, sentada na mesa.

— Para ver um anjo são necessárias três coisas — continuou a ruiva, voltando a olhar Paulo, como se Chris não existisse. — E, além dessas três coisas, é preciso ter coragem.

"Coragem de mulher, a verdadeira coragem. Não a coragem de homem."

Paulo fingiu não dar importância.

— Estaremos perto de Tucson amanhã — disse Vahalla. — Venha nos encontrar ao meio-dia, se o seu anel for verdadeiro.

Paulo foi até o carro, trouxe o mapa, e Vahalla mostrou o lugar exato do encontro. O chinês colocou os ovos e o bacon na mesa, e uma das Valkírias avisou a ruiva que seu café da manhã estava esfriando. Ela voltou para seu lugar no balcão, pedindo ao chinês para ligar de novo o rádio.

— Quais são as três condições para se conversar com o anjo? — perguntou ele, quando ela ia saindo.

— Romper um acordo. Aceitar um perdão. E fazer uma aposta — respondeu Vahalla.

Olhou a cidade lá embaixo. Pela primeira vez em quase três semanas, estavam num hotel de verdade — com serviço de quarto, bar, e café da manhã na cama.

Eram seis horas da tarde — e costumava praticar o exercício de canalização a esta hora. Mas Paulo dormia profundamente.

Chris sabia que o encontro daquela manhã no posto de gasolina havia mudado tudo; se quisesse conversar com seu anjo, teria que agir por si mesma.

Tinham conversado pouco na viagem até Tucson. Ela limitou-se a perguntar por que ele havia dito seu nome mágico. Paulo respondeu que Vahalla dissera o seu, numa demonstração de coragem e confiança — e ele não podia ficar para trás.

Podia ser que estivesse falando a verdade. Mas Chris acreditava que, ainda esta noite, Paulo iria chamá-la para uma conversa.

Era mulher, enxergava coisas que os homens não viam.

Desceu, foi até a portaria, perguntou onde ficava a livraria mais próxima. Não havia. Era preciso ir de carro até um centro comercial.

Ela ficou alguns minutos em dúvida. Terminou por subir de novo, e pegou a chave. Estavam numa cidade grande; se Paulo acordasse, pensaria o que todo homem pensa a respeito de mulheres: que tinha saído para olhar as lojas.

Perdeu-se no trânsito algumas vezes, mas terminou descobrindo um gigantesco centro comercial (ou *mall*, como chamavam ali). Uma das lojas tinha um chaveiro na porta — e ela mandou fazer cópia da chave do carro.

Queria ter uma. Apenas por segurança.

Depois procurou a livraria. Folheou um livro, e encontrou o que estava buscando.

WALKYRIAS: ninfas do palácio de Votan.

Não tinha idéia de quem fosse Votan. Mas não era importante.

Mensageiras dos deuses, conduziam os heróis à morte — e depois, ao Paraíso.

Mensageiras. Como os anjos. Morte e Paraíso. Também como os anjos.

Excitam os combatentes pelo amor que seu charme inspira em seus corações, e pelo exemplo de bravura à frente das batalhas, montadas em corcéis rápidos como as nuvens, e ensurdecedores como a tempestade.

Não podiam ter escolhido um nome melhor, pensou.

Simbolizam ao mesmo tempo a embriaguez da coragem e o descanso do guerreiro, a aventura do amor em luta, o encontro e a perda.

Sim, com toda certeza, Paulo iria querer conversar com ela.

Desceram para jantar no restaurante do próprio hotel — embora Paulo insistisse muito para saírem um pouco, conhecer uma cidade grande encravada em pleno deserto. Mas Chris disse que estava cansada, queria dormir cedo, aproveitar o conforto.

Passaram o jantar inteiro conversando trivialidades. Paulo estava exageradamente gentil — ela conhecia o marido, sabia que procurava o momento certo. Então fingiu que prestava atenção em tudo, e demonstrou muita animação quando ele disse que em Tucson havia o mais completo museu sobre o deserto de que se tem notícia.

Ele ficou contente com seu interesse. Entusiasmado, disse que ali se podiam ver coiotes, cobras, escorpiões, tudo em total segurança, e com informações sérias a respeito. Podia passar o dia inteiro lá.

Ela disse que gostaria muito de visitar o museu.

— Vá visitá-lo amanhã — sugeriu Paulo.

— Mas Vahalla marcou ao meio-dia.

— Não é necessário que você vá.

— Estranha hora — ela respondeu. — Ninguém fica andando muito tempo pelo deserto ao meio-dia. Nós aprendemos isso — da pior maneira possível.

Paulo também tinha achado estranho. Mas não queria perder a oportunidade; tinha medo de que Vahalla mudasse de idéia, apesar do anel e de tudo.

Ele trocou de assunto, e Chris ficou saboreando a ansiedade do marido. Voltaram a falar de coisas triviais por mais algum tempo. Beberam uma garrafa de vinho inteira, e o sono veio rápido. Paulo sugeriu que subissem logo para o apartamento.

— Não sei se você deve ir amanhã — disse ele, enfiando a frase no meio de outra conversa.

Já saboreara tudo que queria — a comida, o lugar, a ansiedade de Paulo. Gostava de confirmar para si mesma que conhecia bem o homem a seu lado. Mas agora estava ficando realmente tarde, era hora de ser definitiva a respeito.

— Vou com você. De qualquer jeito.

Ele ficou irritado. Disse que ela estava com ciúmes e estragando seu processo.

— Ciúmes de quem?

— Das Valkírias. De Vahalla.

— Que bobagem.

— Mas esta é a *minha* busca. Vim com você porque queria estar ao seu lado, mas existem certas coisas que preciso fazer sozinho.

— Quero ir com você — disse ela.

— A magia nunca foi importante em sua vida. Por que agora?

— Porque comecei. E pedi para não ser abandonada no meio do caminho — respondeu, colocando um ponto-final na conversa.

O silêncio era total.

Chris estava sustentando há bastante tempo o olhar da mulher.

Todos — inclusive Paulo — estavam de óculos escuros.

Todos — menos ela e Vahalla. Tirara os óculos para que a Valkíria soubesse que estava olhando em seus olhos.

Os minutos corriam — e ninguém dizia nada. A única palavra pronunciada em todo aquele tempo tinha sido o "olá!" de Paulo, quando chegaram ao lugar marcado. O cumprimento ficara sem resposta. Vahalla aproximou-se e parou diante de Chris.

E, desde aquele momento, nada mais havia acontecido.

"Vinte minutos", pensou consigo mesma. Mas não sabia exatamente quanto tempo se passara. O brilho do sol, o calor e o silêncio confundiam as coisas em sua cabeça.

Tentou distrair-se um pouco. Estavam na base de uma montanha — que bom, o deserto voltara a ter montanhas! Atrás de Vahalla havia uma porta cravada na rocha. Começou a imaginar aonde levaria esta porta, e notou que já não conseguia pensar direito. Igual ao dia em que voltavam do lago de sal.

As outras Valkírias estavam num semicírculo, montadas em cavalos silenciosos; tinham os lenços na cabeça, à maneira dos ciganos e dos piratas. Vahalla era a única com a cabeça descoberta — seu lenço estava no pescoço. Parecia não dar importância ao sol.

Não havia suor — a secura do ar era tão grande que todo líquido evaporava-se imediatamente, como dissera Took. Chris sabia que estavam desidratando com rapidez.

Embora tivesse bebido toda a água que podia, embora tivesse se preparado para o deserto ao meio-dia. Embora não estivesse nua.

"Mas ela está me despindo com seus olhos", pensou. Não à maneira dos homens na rua, mas do jeito — do terrível jeito — que as mulheres fazem, quando. . ."

Havia um limite. Ela não sabia qual era, nem como, nem quando, mas daqui a pouco o sol começaria a causar danos. Entretanto, todos continuavam imóveis — e tudo aquilo acontecia por causa dela, porque ela insistira em ficar perto — *mensageiras dos deuses, conduziam os heróis à morte e ao Paraíso.*

Tinha feito uma besteira, mas agora era tarde. Viera porque seu anjo havia mandado; ele dissera que Paulo ia precisar dela naquela tarde.

"Não, não foi besteira. Ele insistiu que eu viesse", pensou.

Seu anjo — estava conversando com ele! Ninguém sabia — nem Paulo.

Começou a sentir-se tonta, e teve certeza de que ia desmaiar daí a pouco. Mas iria até o fim — agora já não era mais uma questão de estar ao lado do marido, obedecer ao anjo, ter ciúmes. Agora era o orgulho de uma mulher — diante de outra.

— Coloque os óculos — disse Vahalla. — Esta luz pode cegar.

— Você está sem óculos — respondeu. — E não está com medo.

Vahalla fez um sinal. E, de repente, o sol parecia ter se multiplicado em dezenas deles. As Valkírias estavam fazendo com que o sol refletisse no metal dos arreios, e dirigiam todos os raios para seu rosto. Ela viu um semicírculo brilhante, apertou um pouco as pálpebras, e manteve seu olhar fixo na Valkíria.

Entretanto, agora não podia enxergá-la direito. Ela parecia crescer, crescer, e a confusão em sua mente aumentou. Sentiu que ia cair, e, neste momento, braços cobertos de couro a ampararam.

Paulo assistiu Vahalla pegar sua mulher nos braços. Podia ter evitado tudo aquilo. Podia ter insistido em que ficasse no hotel — não importava o que estivesse pensando. Desde o momento em que viu o broche, soube a que Tradição as Valkírias pertenciam.

Elas também tinham visto seu anel, e sabiam que ele já fora testado em muitas coisas, e seria difícil assustá-lo. Mas fariam de tudo para provar a fibra de qualquer estranho que se aproximasse do grupo. Como sua mulher, por exemplo.

Entretanto não podiam impedir Chris, nem ninguém — mas ninguém mesmo —, de conhecer o que conheciam. Tinham feito um juramento: tudo que estava oculto, precisava ser revelado. Chris estava agora sendo testada na primeira grande virtude de quem busca o caminho espiritual: coragem.

— Ajude-me — disse a Valkíria.

Paulo aproximou-se e ajudou-a a segurar a mulher. Foram até o carro e a deitaram no banco de trás.

— Não se preocupe. Vai voltar a si em instantes. Com uma grande dor de cabeça.

Ele não estava preocupado. Estava orgulhoso.

Vahalla foi até seu cavalo e trouxe um cantil. Paulo reparou que ela já havia colocado os óculos escuros — também devia ter chegado ao seu limite.

Passou água na testa de Chris, em seus pulsos e atrás das orelhas. Ela abriu os olhos, piscou um pouco, e sentou-se.

— Romper um acordo — disse, olhando para a Valkíria.

— Você é uma mulher interessante — respondeu Vahalla, passando a mão em seu rosto. — Coloque os óculos.

Vahalla acariciava os cabelos de Chris. E, mesmo que agora as duas estivessem usando óculos, Paulo sabia que continuavam se olhando.

Andaram até a estranha porta da montanha. Ali, Vahalla virou-se para as outras Valkírias.

— Pelo amor. Pela vitória. E pela glória de Deus.

As palavras dos que conheciam anjos. A mesma frase de J.

Os animais, até então silenciosos e imóveis, começaram a se mexer. Uma nuvem de poeira cobriu o lugar, as Valkírias fizeram as mesmas brincadeiras do posto de gasolina — passando perto uma da outra — e, minutos depois, desapareciam num dos lados da montanha.

Vahalla então se virou para eles:

— Vamos entrar — disse.

Não havia uma porta, mas uma grade. Na frente, uma tabuleta:

PERIGO O GOVERNO FEDERAL PROÍBE A ENTRADA INFRATORES SERÃO PROCESSADOS

— Não acredite — disse a Valkíria. — Eles não têm como ficar vigiando isto.

Era uma velha mina de ouro abandonada. Vahalla usava uma lanterna, e começaram a andar com cuidado para não bater com a cabeça nas vigas do teto. Paulo notou que, aqui e ali, a terra havia deslizado. Talvez fosse perigoso mesmo — mas não era hora de pensar nisso.

À medida que entravam, a temperatura ia descendo, até tornar-se agradável. Ficou com medo de faltar ar, mas Vahalla andava como se conhecesse o lugar muito bem — já devia ter estado ali muitas vezes, e continuava viva. Também não era hora de pensar nisso.

Depois de dez minutos de caminhada, a Valkíria parou. Sentaram-se no chão, e ela colocou a lanterna no meio dos três.

— Anjos — disse ela. — Anjos são visíveis para quem aceita a luz. E rompe o acordo das trevas.

— Não tenho acordo com as trevas — respondeu Paulo. — Já tive. Não tenho mais.

— Não falo de acordo com Lúcifer, ou com Satã, ou com... — de repente ela começou a falar o nome de diversos demônios, e seu rosto parecia estranho.

— Não pronuncie estes nomes — interrompeu Paulo. — Deus está nas palavras, e o demônio também.

Vahalla riu.

— Parece que você aprendeu a lição. Agora rompa o acordo.

— Não tenho acordo com o mal — repetiu.

— Falo do contrato de derrota.

Paulo lembrou-se do que J. dissera — o homem sempre destruía o que mais amava. Mas J. não falara em acordos; conhecia Paulo o suficiente para saber que seu acordo com o mal já fora rompido há muito tempo. O silêncio dentro da mina era pior que o do deserto. Não se ouvia absolutamente nada, exceto a voz de Vahalla — que parecia diferente.

— Temos um contrato entre nós: não vencer, quando é possível a vitória — insistiu ela.

— Jamais fiz um acordo desses — disse Paulo pela terceira vez.

— Todos fizeram. Em algum momento na vida, todos nós fizemos este acordo. Por isso há um anjo com uma espada de fogo na porta do Paraíso. Para deixar entrar apenas os que rompem este acordo.

Sim, ela tem razão, pensava Chris. Todos fizeram.

— Você me acha bonita? — perguntou Vahalla, mudando de novo o tom de voz.

— Você é uma mulher linda — respondeu Paulo.

— Um dia, quando eu era adolescente, vi minha melhor amiga chorando. Saíamos juntas sempre, tínhamos um imenso amor uma pela outra, e perguntei o que se passava. Depois de muito insistir, ela terminou me contando que seu namorado estava apaixonado por mim. Eu não sabia, mas naquele dia fiz o acordo. Sem compreender direito por que, comecei a engordar, a cuidar mal de meu corpo, a ficar feia. Porque — inconscientemente — achava que minha beleza era uma maldição, fez sofrer minha melhor amiga.

"Em pouco tempo, passei a destruir também o sentido de minha vida, porque já não ligava para mim mesma. Até que chegou o momento em que tudo à minha volta tornou-se insuportável; pensei em morrer."

Vahalla riu.

— Como vê, rompi o acordo.

— É verdade — disse Paulo.

— Sim, é verdade — disse Chris. — Você é linda.

— Estamos no ventre da montanha — continuou a Valkíria. — Lá fora brilha o sol, e aqui, tudo é escuro. Mas a temperatura é agradável, podemos dormir, não precisamos nos preocupar com nada. Aqui é a escuridão do Acordo.

Ela levou a mão ao zíper de seu casaco de couro.

— Rompa o acordo — disse. — Pela glória de Deus. Pelo amor. E pela vitória.

Começou a abaixar o zíper lentamente. Não usava nada por baixo. Os seios apareceram.

E a luz da lanterna fazia brilhar, entre eles, uma medalha de ouro.

— Pegue — disse.

Paulo tocou a medalha. O arcanjo Miguel.

— Tire do meu pescoço.

Ele retirou a medalha, e a manteve entre suas mãos.

— Segurem, os dois, a medalha.

— Não preciso ver meu anjo! — Era a primeira vez que Chris falava desde que entraram na mina. — Não preciso, basta conversar com ele!

Paulo parou com a medalha na mão.

— Já comecei essa conversa — continuou Chris. — Sei que posso e isso basta.

Paulo não acreditou. Mas Vahalla sabia que era verdade; lera isto em seus olhos, quando estavam do lado de fora. Sabia também que seu anjo queria que estivesse ali, junto com o marido.

Mesmo assim, precisou testar sua coragem. Era a regra da Tradição.

— Está bem — disse a Valkíria.

Com um rápido movimento, apagou a lanterna. E a escuridão foi completa.

— Coloque o cordão em seu pescoço — disse para Paulo. — E segure a medalha com as mãos juntas, em oração.

Paulo fez o que ela estava mandando. Tinha medo de uma escuridão tão completa; lembrava coisas que ele não queria recordar.

Sentiu que Vahalla se aproximava por detrás. Suas mãos tocaram a cabeça de Paulo.

A escuridão parecia sólida. Nada, nem uma fresta de luz entrava ali.

Vahalla começou a fazer uma oração numa língua estranha. Primeiro ele tentou identificar o que ela dizia. Depois, à medida que os dedos dela passavam por sua cabeça, Paulo sentia a medalha esquentando. Ele concentrou-se no calor em suas mãos.

A escuridão se transformava. Várias cenas de sua vida começaram a passar diante dele. Luz e sombras, luz e sombras, e — de repente, estava de novo na escuridão.

— Não quero me lembrar disso... — pediu para a Valkíria.

— Lembre. Seja o que for, procure lembrar-se de cada minuto.

A escuridão mostrava-lhe terrores. Terrores ocorridos há quatorze anos.

Havia um bilhete em cima da mesa do café. "Eu te amo. Volto logo." Embaixo, ela havia colocado a data inteira: "25 de maio de 1974".

Engraçado. Colocar data em um bilhete de amor.

Tinha acordado um pouco tonto, ainda surpreso com o sonho. Nele, o diretor da gravadora lhe oferecia um emprego. Não precisava de emprego: o diretor da gravadora é que funcionava como seu empregado — dele e de seu parceiro. Os discos estavam nos primeiros lugares em execução, vendiam milhares de cópias, e de todos os cantos do Brasil chegavam cartas. As pessoas queriam saber o que era a Sociedade Alternativa.

"Basta prestar atenção na letra da música", pensou consigo mesmo. Não era uma música — era um mantra de ritual mágico, com as palavras da Besta do Apocalipse sendo lidas atrás, em tom baixo. Quem cantasse aquela música estaria invocando as forças das Trevas. E todos cantavam.

Ele e o parceiro já haviam preparado tudo. O dinheiro ganho com direitos autorais estava sendo aplicado na compra de um terreno perto do Rio de Janeiro. Lá, sem que o governo militar soubesse, recriariam o que, quase cem anos atrás, a Besta procurou fazer em Cefalu, na Sicília. Mas a Besta fora expulsa pelas autoridades italianas. Ela errara em muitos pontos — não conseguira discípulos em número suficiente, não sabia como ganhar dinheiro. Dissera a todos que seu número era 666, que vinha criar um mundo onde os fortes seriam servidos pelos fracos, e a única lei seria fazer tudo que se tivesse vontade. Mas não soube espalhar direito suas idéias — poucas pessoas tinham levado suas palavras a sério.

Ele e seu parceiro — Raul Seixas — bem, era completamente diferente! Raul cantava, o país inteiro ouvia. Eram jovens, e estavam ganhando dinheiro. Sim, verdade que o Brasil vivia debaixo de uma ditadura militar, mas o governo estava preocupado com guerrilheiros. Não perdia seu tempo com um cantor de rock; muito pelo contrário — as autoridades achavam que aquilo mantinha os jovens longe do comunismo.

Tomou o café e chegou à janela. Ia dar um passeio, depois encontraria o parceiro. Não tinha a menor importância que ninguém o conhecesse, e que seu amigo fosse famoso. O que contava é que estava ganhando dinheiro, isto permitiria que colocasse as idéias em andamento. As pessoas do meio musical, e as pessoas do meio mágico — ah, estas sabiam! O anonimato para o grande público era até engraçado — mais de uma vez saboreou o gostinho de ver alguém comentando sobre seu trabalho — sem perceber que o autor estava perto escutando.

Voltou-se para colocar o tênis. Quando abaixou, sentiu uma vertigem.

Levantou a cabeça. O apartamento parecia mais escuro do que deveria estar. Fazia sol lá fora, ele havia acabado de voltar da janela. Alguma coisa estaria queimando — um aparelho elétrico, talvez, porque o fogão estava desligado. Procurou em todos os cantos. Nada.

O ar estava pesado. Resolveu sair logo — calçou o tênis de qualquer maneira e, pela primeira vez, aceitou o fato de que estava passando mal.

"Pode ser alguma coisa que comi", disse para si mesmo. Mas quando comia alguma coisa errada, seu corpo inteiro dava o sinal, já conhecia isso. Não estava com enjôo, nem vômitos. Só aquela tontura que não queria passar.

Escuro. A escuridão aumentava cada vez mais, parecia uma nuvem cinzenta à sua volta. Sentiu, de novo, a vertigem. Sim, tinha que ser alguma coisa que havia comido — "ou talvez um efeito retardado do ácido", pensou. Mas não tomava LSD há quase cinco anos. Os efeitos retardados tinham desaparecido nos seis primeiros meses, e nunca mais voltaram.

Ele estava com medo, precisava sair.

Abriu a porta — a vertigem ia e voltava, e podia passar mal na rua. Era arriscado sair, melhor ficar em casa e esperar. Tinha aquele bilhete em cima da mesa — daqui a pouco ela estava em casa — podia esperar. Sairiam juntos até a farmácia, ou a um médico, embora detestasse médicos. Não podia ser nada grave. Ninguém tem ataque de coração com 26 anos.

Ninguém.

Sentou-se no sofá. Precisava se distrair, não devia pensar nela, senão o tempo demorava mais a passar. Tentou ler o jornal, mas a vertigem, a tontura, ia e voltava, cada vez com mais força. Alguma coisa o estava puxando para dentro de um buraco negro que parecia se formar no meio da sala. Começou a ouvir barulhos — risos, vozes, coisas quebrando. Nunca tinha acontecido aquilo — nunca! Sempre que tomava algo, sabia que estava drogado, que era uma alucinação, e passaria com o tempo. Mas aquilo — aquilo era terrivelmente real!

Não, não podia ser real. A realidade eram os tapetes, a cortina, a estante, a mesa do café ainda com restos de pão. Fez um esforço para concentrar-se no cenário à sua volta, mas a sensação de buraco negro à sua frente, as vozes, os risos, tudo continuava.

Definitivamente, não estava acontecendo nada daquilo. Tinha praticado magia durante seis anos. Feito todos os rituais. Sabia que tudo não passava de sugestão, de efeito psicológico — tudo jogava com a imaginação — nada mais.

O pânico aumentava, a vertigem estava mais forte — puxando para fora do corpo, para um mundo escuro, para aqueles risos, aquelas vozes, aqueles barulhos — reais!

"Não posso ter medo. O medo faz a coisa voltar."

Tentou controlar-se, foi até a pia e lavou o rosto. Sentiu-se melhor, a sensação parecia ter acabado. Colocou o tênis e procurou esquecer tudo. Brincou com a idéia de contar ao parceiro que entrara num transe, tivera contato com os demônios.

E foi só pensar nisso que a vertigem voltou — mais forte.

"Volto logo", dizia o bilhete, e ela não chegava!

"Nunca tive resultados concretos no plano astral." Nunca tinha visto nada. Nem anjos nem demônios nem espíritos dos mortos. A Besta escreveu em seu diário que materializava coisas, mas era mentira, a Besta não tinha chegado lá, ele sabia disso. A Besta tinha fracassado. Ele gostava das suas idéias porque eram idéias rebeldes, chiques, das quais poucas pessoas haviam escutado falar. E as pessoas sempre respeitam mais aquele que diz coisas que ninguém entende. Do resto — Hare Krishna, Meninos de Deus, Igreja de Satã, Maharishi —, do resto todo mundo participava. A Besta — a Besta só para os eleitos! "A lei do forte", dizia um texto dela. A Besta estava na capa do Sargent Pepper's, um dos mais conhecidos discos dos Beatles — e quase ninguém sabia. Talvez nem os Beatles soubessem o que estavam fazendo quando colocaram aquela fotografia lá.

O telefone começou a tocar. Podia ser sua namorada. Mas, se estava escrito "volto logo", para que telefonar?

Só se alguma coisa estivesse acontecendo.

Por isso ela não chegava. A vertigem agora voltava em intervalos menores, e tudo ficava negro de repente. Sabia — alguma coisa lhe dizia — que não podia deixar aquela sensação tomar conta. Algo terrível podia acontecer — talvez entrasse ali, naquela escuridão, e nunca mais saísse. Precisava manter o controle a qualquer custo — precisava ocupar sua mente, ou aquela coisa *o dominaria.*

O telefone. Concentrou-se no telefone. Falar, conversar, distrair o pensamento, levá-lo para longe daquela escuridão, aquele telefone era um milagre, uma saída. Sabia disso. *Sabia, de alguma maneira, que não podia se entregar. Precisava atender o telefone.*

— Alô?

Era uma voz de mulher. Mas não era a namorada — era Argéles.

— Paulo?

Ele ficou quieto.

— Paulo, você está me ouvindo? Preciso que você venha aqui em casa! Está acontecendo uma coisa esquisita!

— O que está acontecendo?

— Você sabe, Paulo! Me explique, pelo amor de Deus!

Desligou antes de ouvir o que não queria. Não era um efeito retardado de droga. Não era um sintoma de loucura. Não era um que cardíaco. Era real. Argéles participava rituais, e "aquilo" também estava acontecendo com ela.

Entrou em pânico. Ficou alguns minutos sem pensar, e a escuridão foi se apossando dele, chegando cada vez mais perto, fazendo com que pisasse na beira do lago da morte.

Ele ia morrer — por tudo o que tinha feito sem acreditar, por tanta gente envolvida sem saber, por tanto mal espalhado sob a forma de bem. Morreria, e as Trevas existiam, porque se manifestavam agora, diante dos seus olhos, mostrando que as coisas terminavam funcionando um dia, cobrando seu preço pelo tempo em que foram usadas, e ele tinha que pagar — porque não quisera saber o preço antes, pensou que era grátis, que tudo era mentira ou sugestão da mente!

Os anos no colégio jesuíta voltaram, e ele pediu forças para chegar até uma igreja, pedir perdão, pedir ao menos que Deus salvasse sua alma. Precisava conseguir. Sempre que mantinha a mente ocupada, conseguia dominar um pouco a vertigem. Precisava de tempo suficiente para ir até a igreja... Que idéia ridícula!

Olhou a estante. Resolveu saber quantos discos tinha — afinal de contas, sempre adiara esta providência! Sim, era algo muito importante saber o número exato de seus discos, e começou a contar: um, dois, três... conseguia! Conseguia segurar a vertigem, o buraco negro que puxava. Contou todos os discos — e recontou para ver se estava certo. Agora os livros. Precisava contar para saber quantos livros tinha. Teria mais livros que discos? Começou a contar. A vertigem parava, e tinha muitos livros. E revistas. E jornais alternativos. Ia contar tudo, anotar num papel, saber realmente quantas coisas possuía. Era importantíssimo.

Estava contando os talheres da casa quando a chave girou na porta. Ela estava chegando, afinal. Mas não podia se distrair — não podia sequer conversar sobre o que estava acontecendo; em algum momento, aquilo ia parar. Tinha certeza disso.

Ela foi direto para a cozinha e abraçou-o chorando.

— Socorro... tem alguma coisa estranha. Você sabe o que é, me ajude!

Ele não queria perder a conta dos talheres — era a sua salvação. Manter a mente ocupada. Melhor que ela não tivesse chegado — não estava ajudando nada. E pensava como Argéles — que ele sabia tudo, que sabia como parar aquilo.

— Mantenha a mente ocupada! — gritou, como se estivesse possuído. — Conte quantos discos tem! E quantos livros!

Ela olhou sem entender. E como um robô caminhou em direção à estante.

Mas não conseguiu chegar até lá. De repente, atirou-se ao chão.

— Quero minha mãe... — repetia, em voz baixa. — Quero minha mãe...

Ele também queria. Queria ligar para os pais, pedir socorro — os pais que não via nunca, que pertenciam a um mundo burguês, já há muito abandonado. Tentou continuar a conta-

gem dos talheres, mas ela estava ali, chorando como criança, arrancando os próprios cabelos.

Aquilo era demais. Ele era o responsável pelo que estava acontecendo, porque a amava, e havia ensinado os rituais, garantido que ela ia conseguir o que queria, que as coisas melhoravam a cada dia (embora nem por um momento acreditasse no que falava!). Agora ela estava ali, pedindo ajuda, confiando nele — e ele não sabia o que fazer.

Por um instante pensou em dar outra ordem, mas já havia esquecido quantos talheres possuía, e o buraco negro apareceu de novo com força.

— Me ajude você — disse. — Eu não sei.

E começou a chorar.

Chorava de medo, como quando era criança. Queria os pais, como ela. Estava suando frio, e tinha certeza de que morreria. Pegou-a pela mão, as mãos dela também estavam frias, embora as roupas estivessem empapadas de suor. Foi até o banheiro para lavar o rosto — era assim que faziam quando o efeito da droga estava muito forte. Funcionava também para "aquilo" — ele já havia experimentado. O corredor parecia imenso, a coisa agora estava mais forte — já não contava discos, livros, lápis, talheres. Não tinha mais como fugir.

"Água corrente."

O pensamento vinha de um outro canto de sua cabeça, um lugar onde a escuridão parecia não penetrar. Água corrente! Sim, existia o poder das trevas, o delírio, a loucura — mas existiam outras coisas!

— Água corrente — disse para ela, enquanto lavavam o rosto. — Água corrente afasta o mal.

Ela notou a segurança na voz dele. Ele sabia, sabia tudo. Ia salvá-la.

Ele abriu o chuveiro, e os dois entraram — com roupas, documentos, dinheiro. A água fria molhou seus corpos e, pela primeira vez desde que tinha acordado, sentiu um certo alívio. A vertigem sumira. Ficaram uma, duas, três horas debaixo da água, sem conversar, tremendo de frio e de medo. Saiu do chuveiro apenas uma vez, a fim de ligar para Argéles e pedir que fizesse o mesmo. A vertigem voltou, e teve que retornar correndo para debaixo da água. Ali tudo parecia calmo, mas precisava desesperadamente entender o que acontecia.

— Eu nunca acreditei — disse.

Ela o olhou sem entender. Há dois anos eram hippies sem um tostão, e agora as músicas dele eram ouvidas de norte a sul do país. Estava no auge do sucesso — embora poucas pessoas soubessem seu nome; e dizia que tudo aquilo era fruto dos rituais, dos estudos ocultos, do poder da magia.

— Nunca acreditei — continuou. — Ou não teria me arriscado por esses caminhos! Jamais teria me arriscado, e arriscado você.

— Faça alguma coisa, pelo amor de Deus! — disse ela. — Não podemos ficar para sempre aqui debaixo!

Saiu mais uma vez do chuveiro, de novo experimentou a tontura, o buraco negro. Foi até a estante, e voltou com uma Bíblia. Tinha uma Bíblia em casa — apenas para ler o Apocalipse, ter certeza do reino da Besta. Fazia tudo conforme mandavam os seguidores da Besta — e, no fundo, não acreditava em nada.

— Vamos rezar para Deus — pediu. Sentia-se ridículo, desmoralizado diante da mulher que tentara impressionar durante todos aqueles anos. Era fraco, ia morrer, precisava humilhar-se, pedir perdão. O mais importante agora era salvar sua alma. Tudo era verdade, afinal.

Abraçou-se com a Bíblia e rezou as orações que aprendera na infância — Pai-Nosso, Ave-Maria, Credo. Ela relutou no início, depois passou a acompanhá-lo.

Então ele abriu o livro ao acaso. A água do chuveiro castigava as páginas, mas ele conseguia ler a história de alguém que pede algo a Jesus, e este diz para que o sujeito tenha fé. O sujeito responde: "Senhor, eu creio — ajudai minha incredulidade."

— Senhor, eu creio, ajudai minha incredulidade! — gritou, entre o ruído da água que caía.

— Eu creio, Senhor, ajudai minha incredulidade! — disse ela, baixinho, aos prantos.

Começou a sentir-se estranhamente calmo. Se existia o mal terrível que experimentavam, então era verdade que o reino dos céus também existia, e, junto com ele, tudo o mais que havia aprendido e negado durante toda a vida.

— Existe a vida eterna — disse, embora sabendo que ela nunca mais acreditaria em suas

palavras. — Não me importa morrer. Você não pode também ter medo.

— Não tenho medo — ela respondeu. — Não tenho medo, mas acho uma injustiça. Uma pena.

Tinham 26 anos. Era realmente uma pena.

— Vivemos tudo que alguém da nossa idade podia viver — respondeu ele. — Tem gente que não chegou nem perto.

— É verdade — disse ela. — Podemos morrer.

Ele virou o rosto para cima, e o barulho da água em seus ouvidos parecia um trovão. Não estava mais chorando, nem com medo; apenas pagava o preço de sua ousadia.

— Senhor, eu creio, ajudai minha incredulidade — repetiu. — Queremos fazer uma troca. Oferecemos qualquer coisa, absolutamente qualquer coisa, *pela salvação de nossas almas. Oferecemos nossas vidas, ou tudo que temos. Aceitai, Senhor.*

Ela olhava para ele com desprezo. O homem que admirava tanto. O poderoso, o misterioso, o corajoso homem que admirava tanto, que havia convencido tantas pessoas sobre a Sociedade Alternativa, que pregava um mundo onde tudo era permitido, onde os fortes dominariam os fracos. Aquele homem estava ali, chorando, chamando a mãe, rezando como uma criança, e dizendo que sempre tivera muita coragem — porque não acreditava em nada.

Ele virou-se, pediu que os dois olhassem para cima e fizessem a troca. Ela fez. Havia perdido seu homem, sua fé, e sua esperança. Não tinha mais nada a perder.

Então ele colocou a mão na torneira e lentamente começou a fechá-la. Agora podiam morrer, Deus os havia perdoado.

O jato de água transformou-se em pingos, e depois houve um silêncio completo. Os dois, ensopados até os ossos, se olhavam. A vertigem, o buraco negro, os risos e os barulhos. tudo havia desaparecido.

Estava deitado no colo de uma mulher, e chorava. A mão dela tocava seus cabelos.

— Fiz esse acordo — disse, entre lágrimas.

— Não — respondeu a mulher. — Foi uma troca. E houve a troca.

Paulo segurou a medalha do arcanjo com mais força. Sim, houve a troca — e o castigo veio com toda a severidade. Dois dias depois daquela manhã de 1974, eles eram presos pela polícia política brasileira, acusados de subversão por causa da Sociedade Alternativa. Ficou numa cela escura, igual ao túnel negro que vira em sua sala; foi ameaçado de morte, apanhou, mas era uma troca. Quando saiu, rompeu com o parceiro, e foi expulso do mundo musical por longo tempo. Ninguém lhe dava emprego — mas era uma troca.

Outras pessoas do grupo não tinham feito a troca. Sobreviveram ao "buraco negro", passaram a chamá-lo de covarde. Perdeu os amigos, a segurança, a vontade de viver. Passou anos com medo de sair na rua — a vertigem podia voltar, os policiais podiam voltar. E, ainda pior, desde que saiu da prisão, nunca mais tornara a ver sua companheira. Em alguns momentos, arrependeu-se da troca — era preferível morrer do que continuar vivendo daquela maneira. Mas agora era tarde para mudar de novo.

— Houve um acordo — insistiu Vahalla. — Qual foi este acordo?

— Prometi abandonar meus sonhos — disse.

Durante sete anos pagou o preço da troca, mas Deus era generoso, e permitiu que reconstruísse sua vida. O diretor da gravadora, justamente com quem tinha sonhado naquela manhã de maio, arranjou-lhe um emprego e se transformou no único amigo. Voltou a compor, mas sempre que seu trabalho começava a crescer, alguma coisa terminava acontecendo e jogando tudo por água abaixo.

"A gente destrói aquilo que ama", lembrou-se do que J. dissera.

— Sempre achei que fosse parte da troca — falou.

— Não — respondeu Vahalla. — Deus foi duro. Mas você foi mais duro que Ele.

— Prometi jamais crescer de novo. Achei que nunca mais teria segurança nas minhas palavras.

A Valkíria apertou sua cabeça de encontro aos seios nus.

— Fale dos terrores — disse. — Do terror que vi ao seu lado, quando nos encontramos na lanchonete.

— O terror... — ele não sabia como começar, porque parecia que estava dizendo um absurdo. — O terror não me deixa dormir à noite nem descansar durante o dia.

Chris agora entendia seu anjo. Precisava estar ali, escutar tudo aquilo, porque ele jamais lhe contara...

— ... eu agora tenho uma mulher que amo, encontrei J., fiz o sagrado Caminho de Santiago, e escrevi livros. Estou sendo de novo fiel aos meus sonhos, e este é o terror. Porque tudo está andando como eu queria, e sei que tudo será destruído em breve.

Era terrível dizer aquilo. Jamais havia comentado com ninguém — nem consigo mesmo. Sabia que Chris estava ali, escutando tudo — e tinha vergonha.

— Foi assim com as músicas — continuou, forçando as palavras para fora. — E foi assim com tudo que fiz desde então. Nada durou mais de dois anos.

Sentiu as mãos de Vahalla retirando o medalhão de seu pescoço. Ele levantou-se. Não queria que ela acendesse a luz, não tinha coragem de enfrentar Chris.

Mas Vahalla acendeu a lanterna, e os três começaram a sair, em silêncio.

— Nós duas vamos sair na frente, e você virá depois — disse Vahalla, quando já estavam quase chegando ao final do túnel.

Paulo estava certo de que, assim como sua namorada de quatorze anos atrás, Chris nunca mais confiaria nele.

— Hoje acredito no que faço — tentou dizer, antes que as duas se afastassem. A frase soava como um pedido de desculpas, uma justificativa.

Ninguém respondeu nada. Deram mais alguns passos, e Vahalla desligou a lanterna. Já entrava luz suficiente para que pudessem enxergar.

— A partir do momento em que você colocar os pés lá fora — disse a Valkíria —, prometa, em nome do arcanjo São Miguel, que nunca mais — NUNCA MAIS — irá levantar a mão contra você mesmo.

— Tenho medo de dizer isto — respondeu ele. — Porque não sei como cumprir.

— Você não tem escolha se quiser ver o seu anjo.

— Eu não sabia o que estava fazendo comigo mesmo, e posso continuar me traindo.

— Agora você já sabe — respondeu Vahalla. — E a verdade liberta.

Paulo concordou com a cabeça.

— Ainda vão acontecer muitos problemas em sua vida. Coisas difíceis, ou coisas passageiras. Mas, a partir de agora, apenas a mão de Deus será responsável por tudo — você não vai mais interferir.

— Prometo, em nome de São Miguel.

As duas saíram. Ele esperou um momento, e começou a caminhar. Tinha ficado nas trevas tempo suficiente.

Os raios, refletidos na rocha, indicavam o caminho. Havia uma porta de grade, uma porta que dava para um reino proibido, uma porta que o assustava — porque ali estava o reino da luz, e ele vivera muitos anos nas trevas. Uma porta que parecia fechada — e, no entanto, quem chegasse perto descobriria que estava aberta.

A porta da luz estava adiante. Queria atravessá-la. Podia ver o sol dourado brilhando lá fora; resolveu não colocar os óculos escuros. Precisava de luz. Sabia que o arcanjo Miguel estava a seu lado, varrendo as trevas com sua lança.

Durante anos acreditara na implacável mão de Deus, no seu castigo. Mas era sua própria mão, e não a de Deus, que causara tanta destruição. Nunca mais, em todo o resto de sua vida, faria isso de novo.

— Rompo o acordo — disse para as trevas da mina, e para a luz do deserto. — Deus tem o direito de me destruir. Eu não tenho este direito.

Pensou nos livros que escrevera, e sentiu-se feliz. O ano ia acabar sem nenhum problema — porque o acordo estava rompido. Com toda certeza surgiriam problemas com seu trabalho, com o amor, com o caminho da magia — coisas sérias, ou coisas passageiras, como dissera Vahalla. Mas, a partir de agora, ele lutaria lado a lado com seu anjo da guarda.

— Você deve ter feito um grande esforço — falou para seu anjo. — E, no final, eu estragava tudo, e você ficava sem entender.

Seu anjo estava escutando. Ele também sabia do acordo e ficou contente por não precisar gastar suas energias evitando que Paulo se destruísse.

Encontrou a abertura na porta, e saiu. O sol dourado cegou-o por muito tempo, mas ele manteve os olhos abertos — precisava de luz. Viu os vultos de Vahalla e Chris se aproximando.

— Ponha a mão no ombro dele — a Valkíria disse para Chris. — Seja a testemunha.

Chris obedeceu.

Vahalla tirou um pouco de água de seu cantil, e fez uma cruz em sua cabeça — como se o batizasse novamente. Então ajoelhou-se, e pediu que todos fizessem o mesmo.

— Em nome do arcanjo Miguel, o acordo foi conhecido pelo céu. Em nome do arcanjo Miguel, o acordo foi rompido.

Colocou a medalha em sua testa, e pediu que repetissem suas palavras.

Santo anjo do Senhor,
meu zeloso guardador...

A oração da infância ecoava nas paredes das montanhas, e se espalhava por aquela parte do deserto.

Se a ti me confiou
a piedade divina
sempre me rege, e guarda
governa e ilumina.
Amém.

— Amém — disse Chris.

— Amém — repetiu ele.

As pessoas se aproximaram. Havia curiosidade em seus olhos.

— São lésbicas — disse alguém.

— São loucas — disse outro.

As Valkírias amarraram um lenço no outro até formar uma espécie de corda. Depois sentaram-se no chão, em círculo — os braços apoiados nos joelhos, segurando os lenços unidos.

Vahalla estava no meio, em pé. Continuou a chegar gente. Quando uma pequena multidão já se havia formado, as Valkírias entoaram um salmo.

"Nas margens dos rios da Babilônia
nós nos sentamos e choramos.
Nos salgueiros que lá havia
penduramos nossas harpas."

As pessoas olhavam, sem compreender nada. Não era a primeira vez que aquelas mulheres apareciam na cidade. Já tinham estado ali antes, falando de coisas estranhas — embora certas palavras se parecessem com as que os pastores diziam na televisão.

— Tenham coragem — a voz de Vahalla soava alta e firme. — Abram o coração e escutem o que ele lhes diz. Sigam seus sonhos, porque só um homem que não tem vergonha de si é capaz de manifestar a glória de Deus.

— O deserto enlouquece — comentou uma mulher.

Algumas pessoas se afastaram logo. Estavam fartas de pregações religiosas.

— Não existe pecado além da falta de amor — continuou Vahalla. — Tenham coragem, sejam capazes de amar, mesmo que o amor pareça uma coisa traiçoeira e terrível. Alegrem-se no amor. Alegrem-se na vitória. Sigam o que seus corações mandarem.

— É impossível — disse alguém na multidão. — Temos obrigações a cumprir.

Vahalla virou-se na direção da voz. Estava conseguindo — as pessoas prestavam atenção! Diferente de cinco anos atrás, quando caminhavam pelo deserto, chegavam nas cidades, e ninguém se aproximava.

— Existem os filhos. Existem o marido e a mulher. Existe o dinheiro a ganhar — disse outra pessoa.

— Cumpram, pois, suas obrigações. Mas elas jamais impediram alguém de seguir seus sonhos. Lembrem-se de que são uma manifestação do Absoluto, e façam nesta vida apenas coisas que *valham a pena.* Só os que agirem assim entenderão as grandes transformações que estão por vir.

"A conspiração", pensou Chris enquanto escutava. Lembrou-se do tempo em que ia cantar na praça, junto com outros de sua igreja, para salvar os homens do pecado. Naquela época não falavam em um novo tempo — falavam da volta de Cristo, dos castigos e do inferno. Não havia uma conspiração, como agora.

Caminhou entre a multidão, e viu Paulo. Estava num banco, longe da aglomeração. Resolveu juntar-se a ele.

— Quanto tempo vamos ficar viajando com elas? — perguntou.

— Até que Vahalla me ensine como ver anjos.

— Mas já se passou quase um mês.

— Ela não pode negar. Fez o juramento da Tradição. E terá que cumpri-lo.

A multidão aumentava cada vez mais. Chris ficou pensando como devia ser difícil falar para aquelas pessoas.

— Não vão levá-las a sério — comentou. — Não com estas roupas, e estes cavalos.

— Guerreiam por idéias muito antigas — disse Paulo. — Hoje em dia os soldados se camuflam, se disfarçam, se escondem. Mas os guerreiros antigos iam com suas roupas mais coloridas e mais vistosas para os campos de batalha.

"Queriam que o inimigo os visse. Tinham orgulho da luta."

— Por que agem assim? Por que pregam nas praças públicas, nos bares, no meio do deserto? Por que nos ajudam a conversar com os anjos?

Ele acendeu um cigarro.

— Você está certa na sua brincadeira — disse Paulo. — Existe uma conspiração.

Ela riu. Se tivesse razão, Paulo já teria dito antes. Não, não existia uma conspiração. Ela criara a denominação porque os amigos do marido pareciam agentes secretos, sempre preocupados em não conversar certas coisas diante dos outros, sempre mudando de assunto — embora jurassem, de pés juntos, que nada existia de oculto na Tradição.

Mas Paulo parecia estar falando sério.

— Os portões do Paraíso foram abertos de novo — disse. — Deus afastou o anjo que estava na porta, com a espada de fogo. Por algum tempo — ninguém sabe exatamente quanto — qualquer um pode entrar, desde que perceba que os portões estão abertos.

Enquanto falava com Chris, Paulo lembrou-se da velha mina de ouro abandonada. Até aquele dia — uma semana atrás — havia escolhido ficar do lado de fora do Paraíso.

— Quem garante isso? — perguntou ela.

— A Fé. E a Tradição — foi a resposta.

Foram até um vendedor ambulante e compraram sorvetes. Vahalla continuava falando, e seu discurso parecia não ter fim. Daqui a pouco representariam aquela estranha peça teatral, usando os espectadores — e só então o comício estaria terminado.

— Todos sabem dos portões abertos? — perguntou ela.

— Algumas pessoas perceberam — e estão chamando as outras. Mas existe um problema.

Paulo apontou para um monumento no meio da praça.

— Suponhamos que ali seja o Paraíso. E cada pessoa está num lugar desta praça.

— Cada uma tem um caminho diferente para chegar lá.

— Por isso é que as pessoas conversam com seus anjos. Porque somente eles conhecem o melhor caminho. Não adianta recorrer aos outros.

"Sigam seus sonhos, e corram seus riscos!", escutava Vahalla dizer.

— Como será este mundo?

— Será apenas dos que entrarem no Paraíso — respondeu Paulo. — O mundo da "conspiração", como você diz. O mundo das pessoas capazes de ver as transformações do presente, das pessoas com coragem de viver seus sonhos, escutar seus anjos. Um mundo de todos que acreditarem nele.

Houve um burburinho entre os espectadores. Chris sabia que a peça de teatro havia começado. Teve vontade de ir até lá e ver; mas o que Paulo estava dizendo era muito mais importante.

— Durante séculos, choramos nas margens dos rios da Babilônia — continuou Paulo. — Penduramos nossas harpas, éramos proibidos de cantar, fomos perseguidos, massacrados, mas nunca esquecemos que havia uma terra prometida. A Tradição sobreviveu a tudo.

"Aprendemos a lutar, estamos fortalecidos pela luta. As pessoas agora voltam a falar do mundo espiritual, o que há poucos anos parecia coisa de gente ignorante, acomodada, e existe um fio invisível unindo os que estão do lado da luz — como os lenços amarrados das Valkírias. E este fio forma um cordão forte, brilhante, seguro pelos anjos, um corrimão que os mais sensíveis percebem e em que podemos nos apoiar. Porque somos muitos, espalhados pelo mundo inteiro. Movidos pela mesma fé."

— A cada dia este mundo tem um nome — disse ela. — Nova Era, Sexta Raça Dourada, Sétimo Raio etc.

— Mas é o mesmo mundo. Eu garanto a você.

Chris olhou para Vahalla, no meio da praça, falando de anjos.

— E por que ela tenta convencer os outros?

— Não, ela não tenta. Viemos do Paraíso, nos dispersamos pela Terra, e estamos voltando. Vahalla pede às pessoas para pagarem o preço desta volta.

Chris lembrou-se da tarde na mina.

— Às vezes é um preço muito alto.

— Pode ser. Mas existem pessoas que estão dispostas a pagar. Elas sabem que as palavras de Vahalla são verdadeiras, porque lhes recordam algo esquecido. Todos ainda carregam na alma as memórias e visões do Paraíso. E podem passar anos sem lembrar — até que acontece alguma coisa: um filho, uma perda séria, a sensação de perigo iminente; um pôr-do-sol, um livro, uma música, ou um grupo de mulheres com roupas de couro falando em Deus. Qualquer coisa. De repente, estas pessoas se recordam.

"Isto é o que Vahalla está fazendo. Lembrando que existe um lugar. Alguns escutam, e outros não — estes passarão pela porta sem notar."

— Mas ela fala deste novo mundo.

— São apenas as palavras. Na verdade, elas retiraram suas harpas do salgueiro, e estão tocando de novo — e milhões de pessoas, pelo mundo inteiro, cantam novamente as alegrias da Terra Prometida. Ninguém está mais sozinho.

Escutaram o ruído dos cavalos. A peça havia acabado. Paulo começou a andar em direção ao carro.

— Por que você nunca comentou isto comigo? — perguntou ela.

— Porque você já sabia.

Sim, ela sabia. Mas só agora havia lembrado.

As Valkírias seguiam em direção ao Vale da Morte. Iam de cidade em cidade com seus cavalos, chicotes, lenços, roupas estranhas. E falavam em Deus.

Paulo e Chris seguiam com elas. Quando acampavam perto de cidades, eles dormiam em hotéis. Quando paravam no meio do deserto, dormiam no carro. Elas acendiam uma fogueira, e o deserto deixava de ser perigoso à noite — os animais não se aproximavam. Podiam dormir ouvindo o uivo dos coiotes, e vendo as estrelas.

A partir da tarde na mina, Paulo começou a praticar a canalização. Tinha medo de que Chris pensasse que ele não sabia direito o que ensinava.

— Eu conheço J. — ela disse, quando tocaram no assunto. — Não precisa me provar isso.

— Minha namorada daquela época também conhecia a pessoa que me ensinava — respondeu ele.

Sentavam-se juntos todas as tardes, destruíam a barreira da segunda mente, oravam para o seu anjo e invocavam sua presença.

— Acredito neste novo mundo — disse para Chris quando terminavam mais um exercício de canalização.

— Estou certo de que você acredita. Ou não faria as coisas que faz em sua vida.

— Mesmo assim, não sei se me comporto à altura.

— Seja generoso consigo — respondeu ela. — Você está dando o melhor de si — poucas pessoas saem pelo mundo atrás de anjos. Não esqueça que você rompeu o acordo.

O acordo rompido na mina: J. ia ficar feliz! Embora Paulo tivesse quase certeza de que ele já sabia de tudo, e por isso não impedira a viagem para o deserto.

Quando os dois acabavam os exercícios de canalização, ficavam horas seguidas conversando sobre anjos. Mas conversavam apenas entre eles — Vahalla nunca mais tocara no assunto.

Numa daquelas tardes, depois da conversa, procurou a Valkíria.

— Você conhece a Tradição — disse. — Não pode interromper um processo que começou.

— Não estou interrompendo nada — respondeu ela.

— Mas daqui a pouco terei que voltar ao Brasil. Ainda falta aceitar o perdão. E fazer uma aposta.

— Não estou interrompendo o processo — respondeu mais uma vez.

Sugeriu que fossem dar um longo passeio a pé pelo deserto. Sentaram-se lado a lado, assistiram ao pôr-do-sol juntos, falaram de rituais e cerimônias. Vahalla perguntou sobre a maneira de J. ensinar, e Paulo quis saber os resultados da pregação no deserto.

— Preparo o caminho — disse ela, displicentemente. — Cumpro a minha parte, e espero cumpri-la até o final. Depois, saberei qual o próximo passo.

— Como vai saber que chegou o momento de parar?

Vahalla mostrou o horizonte.

— Temos que dar onze voltas pelo deserto, passar onze vezes pelos mesmos lugares, repetir onze vezes as mesmas coisas. Foi tudo o que me disseram para fazer.

— Seu mestre disse?

— Não. O arcanjo Miguel.

— E que volta é esta?

— A décima.

A Valkíria encostou-se no ombro de Paulo, e ficou longo tempo em silêncio. Ele teve vontade de afagar seus cabelos, colocá-la no colo — como ela fizera com ele na mina abandonada. Era uma guerreira, e também precisava de repouso.

Ficou algum tempo na dúvida, mas desistiu. E os dois voltaram ao acampamento.

À medida que os dias passavam, Paulo começou a suspeitar que Vahalla estava ensinando tudo que ele precisava saber — só que à maneira de Took, sem mostrar diretamente o caminho. Passou então a observar tudo que as Valkírias faziam; podia descobrir uma pista, um ensinamento, uma nova prática. E, quando Vahalla chamou-o para ver o entardecer do deserto — ela agora fazia isto sempre —, resolveu tocar no assunto.

— Nada lhe proíbe que me ensine diretamente — disse. — Você não é uma mestra. Não é como Took, ou J., ou como eu mesmo, que conhecemos duas Tradições.

— Sou uma mestra, sim. Aprendi através da revelação. Está certo que não fiz cursos, não participei de *covens**, nem me inscrevi em sociedades secretas. Mas sei muitas coisas que

* Não existe uma boa tradução desta palavra para o português. Significa uma assembléia de pessoas — mestres e discípulos — com finalidades rituais. (Nota do Autor.)

você não sabe, porque o arcanjo Miguel me ensinou.

— Por isso estou aqui. Para aprender.

Os dois estavam sentados na areia, recostados numa rocha. Vahalla pediu que Paulo abrisse as pernas.

— Preciso de carinho — disse ela. — Preciso muito de carinho.

Paulo abriu as pernas. Vahalla saiu de seu lugar, e deitou-se no meio delas, com a cabeça apoiada em seu colo. Ficaram um longo tempo em silêncio, olhando o horizonte.

Foi Paulo quem falou primeiro. Não gostava do que ia dizer, mas era preciso.

— Vou partir em breve, você sabe.

Ficou aguardando a reação. Ela não disse nada.

— Preciso aprender a visão do anjo. Creio que você já está me ensinando, e eu não estou percebendo.

— Não. Meus ensinamentos são claros como o sol do deserto.

Paulo tocou nos cabelos ruivos que cobriam seu colo.

— Você tem uma bela mulher — disse Vahalla.

Paulo entendeu o comentário, e retirou as mãos.

Ao voltar para junto de Chris, aquela noite, comentou o que Vahalla dissera a seu respeito. Chris sorriu, e não disse nada.

Continuaram viajando juntos. Mesmo depois do comentário de Vahalla — sobre a clareza dos seus ensinamentos — Paulo continuava a prestar atenção a tudo que as Valkírias faziam. Mas a rotina não se alterava muito: viajar, falar nas praças, executar rituais que ele já conhecia, e seguir adiante.

E namorar. Namoravam homens que encontravam no caminho. Geralmente eram viajantes solitários, montados em possantes motocicletas, com coragem suficiente para se aproximar do grupo. Quando isso acontecia, havia um acordo — não escrito — de que Vahalla teria o direito da primeira escolha. Se ela não se interessasse, qualquer outra podia se aproximar do recém-chegado.

Os homens não sabiam disso. Tinham a sensação de que estavam com a mulher que tinham escolhido — embora a escolha já tivesse sido feita muito antes. Por elas.

As Valkírias bebiam cerveja e falavam em Deus. Executavam rituais sagrados e namoravam nas rochas. Nas cidades maiores, iam para um lugar público representar a estranha peça de teatro — que envolvia algumas pessoas da platéia.

No final, pediam que colaborassem com algumas moedas. Vahalla nunca participava do espetáculo — mas dirigia o que estava acontecendo, e depois passava seu lenço entre os presentes. Sempre conseguia recolher dinheiro suficiente.

Toda tarde, antes que Vahalla viesse chamar Paulo para passear no deserto, ele e Chris praticavam a canalização, e conversavam com seus anjos. Embora o canal ainda não estivesse completamente aberto, sentiam a presença da proteção constante, do amor e da paz. Ouviam frases sem sentido, tinham algumas intuições, e muitas vezes a única sensação era de alegria — nada mais. Entretanto, sabiam que conversavam com anjos, e que os anjos estavam contentes.

Sim, os anjos estavam contentes porque tinham sido contatados de novo. Qualquer pessoa que resolvesse conversar com eles, descobriria que aquela não era a primeira vez. Já haviam conversado antes, na infância, quando apareciam sob a forma de "amigos ocultos", companheiros de longas conversas e brincadeiras, afastando o mal e o perigo.

E toda criança conversava com seu anjo da guarda — até chegar o famoso dia em que os pais notavam que o filho estava falando com gente que "não existia". Então, ficavam intrigados, culpavam o excesso de imaginação infantil, consultavam pedagogos e psicólogos, e chegavam à conclusão de que a criança devia acabar com aquele tipo de comportamento.

Os pais sempre insistiam em dizer aos filhos que os amigos ocultos não existiam — talvez porque esquecessem que também eles conversaram com anjos um dia. Ou, quem sabe, pensavam que viviam num mundo que não tinha mais lugar para anjos. Desencantados, os anjos voltavam à presença de Deus, sabendo que não podiam impor sua presença.

Mas um novo mundo estava começando. Os anjos sabiam onde estava a porta do Paraíso, e conduziriam para lá todos aqueles que acreditassem neles. Talvez nem precisassem acreditar — bastava que *precisassem* dos anjos, e eles retornavam com alegria.

Paulo passava as noites imaginando por que Vahalla se comportava daquela maneira — adiando as coisas.

Chris sabia a resposta. E as Valkírias também sabiam — sem que ninguém no grupo tivesse feito qualquer comentário a respeito.

NO ACCOMMODATION
OR ROADSIDE SERVICE
NEXT 78 MILES

Chris esperava o bote. Mais cedo ou mais tarde aconteceria. Por isso a Valkíria não havia se livrado deles, não ensinara o resto do encontro com o anjo.

Certa tarde começaram a aparecer imensas montanhas no lado direito da estrada. Depois, o lado esquerdo também foi se enchendo de montanhas, de canyons, enquanto uma gigantesca planície de sal, brilhando muito, formava-se no meio.

Chegaram ao Vale da Morte.

As Valkírias acamparam perto de Furnace Creek — o único local, em muitos quilômetros de distância, onde se podia conseguir água. Chris e Paulo resolveram ficar com elas, porque o único hotel no Vale da Morte estava lotado.

Naquela noite, o grupo inteiro sentou-se em volta da fogueira, conversando sobre homens, cavalos e — pela primeira vez em muitos dias — anjos. Como faziam sempre antes de deitar, as Valkírias amarraram os lenços, seguraram o longo cordão formado, e repetiram uma vez mais o salmo que falava dos rios da Babilônia e das harpas penduradas nos salgueiros. Não podiam esquecer, nunca, que eram guerreiras.

Terminado o ritual, o silêncio desceu sobre o acampamento, e todos foram dormir. Menos Vahalla.

Ela afastou-se um pouco do lugar, e ficou um longo tempo contemplando a lua no céu. Pediu ao arcanjo Miguel que continuasse a aparecer para ela, dando os conselhos certos e ajudando a manter sua mão firme.

> "Tu venceste as batalhas com outros anjos", rezou. "Me ensina a vencer. Que eu não disperse este rebanho de oito pessoas, para que um dia possamos ser milhares, milhões. Perdoai meus erros, e enchei meu coração de entusiasmo. Me dá forças para ser homem e mulher, dura e suave.
>
> Que minha palavra seja a tua lança.
> Que o meu amor seja a tua balança."

Fez o sinal-da-cruz e ficou quieta, escutando o uivo de um coiote ao longe. Estava sem sono, e começou a pensar um pouco em sua vida. Lembrou-se do tempo em que era apenas uma funcionária do Chase Manhattan Bank, em que sua vida se resumia ao marido e aos dois filhos.

— Mas vi meu anjo — falou para o deserto silencioso. — Ele apareceu coberto de luz, e me pediu para cumprir essa missão. Não me obrigou, não fez ameaças nem prometeu recompensas. Apenas pediu.

Largou tudo no dia seguinte e foi para o Mojave. Começou pregando sozinha, falando das portas abertas do Paraíso. O marido pediu divórcio, e conseguiu a guarda dos filhos. Não entendia direito por que estava fazendo aquilo, mas sempre que chorava por causa da dor e da solidão, o anjo contava histórias de outras mulheres que tinham aceito as mensagens de Deus; falava da Virgem Maria, de Santa Teresa, de Joana D'Arc. Dizia que tudo que o mundo precisava era de exemplos, de pessoas capazes de viver seus sonhos e lutar por suas idéias.

Ficou quase um ano vivendo perto de Las Vegas. Gastou logo o pouco dinheiro que conseguiu levar consigo, passou fome e dormiu ao relento. Até que um dia caiu em suas mãos uma poesia.

Os versos contavam a história de uma santa, Maria Egipcíaca. Ela estava viajando para Jerusalém, e não tinha dinheiro para pagar a travessia de um rio. O barqueiro, olhando a bela mulher à sua frente, disse-lhe que, embora não dispusesse de dinheiro, tinha o seu corpo. Maria Egipcíaca entregou-se então ao barqueiro. Quando chegou a Jerusalém, um anjo apareceu e abençoou-a por seu gesto. Depois de sua morte, foi canonizada pela Igreja, apesar de hoje em dia quase ninguém se lembrar.

Vahalla interpretou a história como um sinal. Pregava o nome de Deus durante o dia, e duas vezes por semana ia aos cassinos, arranjava alguns namorados ricos, e conseguia dinheiro. Nunca perguntou ao seu anjo se estava agindo certo — e ele tampouco disse nada.

Aos poucos, conduzidas pelas mãos invisíveis de outros anjos, suas companheiras começaram a chegar.

— Falta apenas uma volta — disse de novo, em voz alta, para o deserto silencioso. — Falta apenas uma volta para que a missão seja cumprida, e eu possa voltar ao mundo. Não sei o que me espera, mas quero voltar. Preciso de amor, de carinho, preciso de um homem que me proteja na Terra, da mesma maneira que meu anjo me protege no céu. Cumpri minha parte; não me arrependo, mas foi muito difícil.

Fez de novo o sinal-da-cruz, e retornou ao acampamento.

Ao voltar, reparou que o casal de brasileiros continuava sentado em frente à fogueira, olhando as chamas.

— Quantos dias faltam para completar quarenta? — perguntou a ele.

— Onze.

— Então, amanhã, às dez horas da noite, no Canyon de Ouro, eu o farei aceitar o perdão. O Ritual Que Derruba os Rituais.

Paulo ficou pasmo. Tinha razão! A resposta estava o tempo todo debaixo do seu nariz!

— De que maneira? — perguntou.

— Pelo ódio — respondeu Vahalla.

— Está bem — disse, procurando disfarçar a surpresa. Mas Vahalla sabia que Paulo jamais utilizara o ódio no Ritual Que Derruba os Rituais.

Deixou o casal e foi até o lugar onde Rotha estava dormindo. Passou carinhosamente a mão em seus cabelos, até que a menina acordasse — talvez estivesse fazendo contato com os anjos que aparecem em sonhos, e Vahalla não queria interromper abruptamente a conversa.

Rotha finalmente abriu os olhos.

— Amanhã você aprenderá a aceitar o perdão — disse Vahalla. — E, em breve, também poderá ver seu anjo.

— Mas já sou uma Valkíria.

— Claro. E, mesmo que não consiga ver seu anjo, continuará a ser uma Valkíria.

Rotha sorriu. Tinha 23 anos, e estava orgulhosa de caminhar pelo deserto com Vahalla.

— Não use a roupa de couro amanhã, do momento do nascer do sol até acabar o Ritual Que Derruba os Rituais.

Abraçou-a com todo carinho.

— Agora pode voltar a dormir — disse.

Paulo e Chris continuaram olhando o fogo durante quase meia hora. Depois, colocaram algumas roupas como travesseiro, e se prepararam para dormir. Pensavam em comprar sacos de dormir em toda cidade grande por onde passavam, mas não tinham paciência de entrar em lojas, fazer compras. Além do mais, viviam na esperança de encontrar um hotel em cada canto. Por isso, quando precisavam acampar com as Valkírias, terminavam sendo obrigados a dormir dentro do carro ou perto da fogueira. O cabelo dos dois já havia sido chamuscado várias vezes pelas fagulhas — embora nada de mais grave tivesse acontecido até o momento.

— O que ela quis dizer? — perguntou Chris quando já estavam deitados.

— Nada importante. — Ele estava com sono, e tinha bebido um pouco.

Mas Chris insistiu. Precisava de uma resposta.

— Tudo na vida é ritual — disse Paulo. — Para os bruxos e para os que nunca ouviram falar em bruxaria. Tanto uns como outros tentam sempre executar, com perfeição, seus rituais.

Que os bruxos tivessem rituais, Chris entendia. E que a vida comum também tivesse — casamentos, batizados, formaturas —, ela também entendia.

— Não, não estou falando dessas coisas óbvias — prosseguiu impaciente, queria dormir, mas ela fingiu não ouvir a agressão. — Falo que tudo é ritual. Assim como uma missa é um grande ritual, composto de várias partes, o dia da vida de qualquer ser humano também o é.

"Um ritual cuidadosamente elaborado, que ele procura executar com precisão porque tem medo de — caso quebre qualquer parte — tudo vir abaixo. O nome deste ritual é ROTINA."

Resolveu sentar-se. Estava tonto por causa da cerveja, e, se continuasse deitado, não conseguiria terminar a explicação.

— Enquanto somos jovens, nada é muito grave. Mas lentamente esse conjunto de rituais diários vai se solidificando, e passa a nos comandar. Uma vez que as coisas comecem a andar mais ou menos como imaginamos, não ousamos mais quebrar o ritual e correr riscos. Fingimos reclamar, mas nos satisfazemos com o fato de um dia ser igual ao outro. Pelo menos não existe o perigo inesperado.

"Desta maneira conseguimos evitar qualquer crescimento interior ou exterior, exceto aqueles já previstos pelo ritual: tantos filhos, tais promoções, tais conquistas financeiras."

"Quando o ritual se consolida, o homem passa a ser seu escravo."

— Acontece também com os bruxos e magos?

— Claro. Usam o ritual para o contato com o mundo invisível, para destruir a segunda mente e entrar no Extraordinário. Mas, também para nós, o terreno conquistado torna-se familiar. É preciso partir para novas terras. Entretanto, qualquer mago, qualquer bruxa tem medo de mudar de ritual. Medo do desconhecido, ou medo de que novos rituais não funcionem — mas é medo irracional, fortíssimo, que jamais desaparece sem uma ajuda.

— E o que é o Ritual Que Derruba os Rituais?

— Como o mago não consegue mudar seus rituais, a Tradição resolve mudar o mago. É uma espécie de Teatro Sagrado, em que ele precisa viver um novo personagem.

Ele deitou-se de novo, virou para o lado, e fingiu dormir. Podia ser que ela pedisse mais explicações — e quisesse saber por que a Valkíria dissera "ódio".

Nunca, no teatro sagrado, os sentimentos baixos eram invocados. Ao contrário, pessoas que participavam dele procuravam trabalhar com o Bem, viver personagens fortes, iluminados. Assim, se convenciam de que eram melhores do que pensavam, e — quando acreditavam nisto — suas vidas mudavam.

Trabalhar os sentimentos baixos significaria a mesma coisa. Ele terminaria se convencendo de que era pior do que imaginava.

Passaram a tarde do dia seguinte visitando o Canyon de Ouro, uma série de desfiladeiros cheios de curvas tortuosas, com paredes de aproximadamente seis metros de altura. No momento do pôr-do-sol, enquanto faziam o exercício de canalização, entenderam por que o lugar tinha aquele nome: os raios se refletiam em milhares de minerais brilhantes encravados nas rochas, fazendo com que as paredes parecessem ouro.

— Hoje será noite de lua cheia — disse Paulo.

Já tinham visto uma lua cheia no deserto; era um espetáculo extraordinário.

— Acordei hoje pensando em um trecho da Bíblia — continuou ele. — Um trecho de Salomão: *"Bom é que retenhas isto, e também daquilo não retires tua mão; pois quem teme a Deus sairá de tudo ileso."*

— Estranho texto — disse Chris.

— Muito estranho.

— Meu anjo fala cada vez mais comigo. Começo a entender suas palavras. Entendo perfeitamente o que você contou na mina, porque nunca acreditei que isso pudesse acontecer.

Ele ficou contente. E contemplaram juntos o final da tarde; desta vez Vahalla não tinha aparecido para passear com ele

Já não existiam mais as pedrinhas brilhantes que viram à tarde. A lua projetava uma luz estranha, fantasmagórica, no desfiladeiro. Podiam escutar os próprios passos na areia, e caminhavam sem conversar, prestando atenção a qualquer barulho. Não sabiam onde as Valkírias estavam reunidas.

Chegaram quase até o final, onde a fenda aumentava de largura, formando uma pequena clareira. Nenhum sinal delas.

Chris rompeu o silêncio.

— Podem ter desistido — disse.

Ela sabia que Vahalla ia prolongar ao máximo aquele jogo. Queria acabar logo.

— Os animais estão fora de suas tocas. Tenho medo das serpentes — continuou. — Vamos embora.

Mas Paulo olhava para cima.

— Veja — disse. — Elas não desistiram.

Chris acompanhou seu olhar. No alto da rocha que formava a parede direita da fenda, um vulto de mulher olhava para eles.

Ela sentiu um arrepio.

Outro vulto de mulher chegou. E mais outro. Chris foi para o meio da clareira; pôde ver mais três mulheres do outro lado.

Faltavam duas.

— Bem-vindos ao teatro! — a voz de Vahalla ecoou por entre as paredes de pedra. — Os espectadores já chegaram, e aguardam o espetáculo!

Era assim que as Valkírias começavam suas peças em praça pública.

"Mas eu não estou no espetáculo", pensou Chris. Quem sabe, talvez devesse subir ao alto da rocha.

— Aqui, o preço da entrada é pago na saída — continuou a voz, repetindo o que diziam nas praças. — Pode ser um preço alto, ou podemos devolver o ingresso. Quer correr o risco?

— Quero — respondeu Paulo.

— Por que tudo isto? — gritou Chris de repente. — Por que tanta encenação, tanto ritual, tanta coisa para ver um anjo? Não basta canalizar, conversar com ele? Por que vocês não se comportam igual a todos, simplificam o contato com Deus e com o que há de sagrado neste mundo?

Não houve resposta. Paulo achou que Chris estava estragando tudo.

— O Ritual Que Derruba os Rituais — disse uma das Valkírias, do alto do rochedo.

— Silêncio! — gritou Vahalla. — A platéia só se manifesta no final! Aplaude ou vaia — mas paga a entrada!

Vahalla finalmente apareceu. Trazia o lenço amarrado na testa, como um índio. Costumava colocá-lo daquela maneira quando realizavam as orações do final do dia. Era a sua coroa.

Trazia com ela uma moça descalça, de bermuda e camiseta. Quando chegaram mais perto, e a luz da lua iluminou seus rostos, Chris viu que era uma das Valkírias — a mais jovem do grupo. Sem a roupa de couro e o ar agressivo, não passava de uma menina.

Ela colocou a moça diante de Paulo. Começou a traçar um grande quadrado em volta deles. Em cada um dos cantos, parava e dizia umas palavras. Paulo e a menina repetiam as palavras em latim — sendo que a garota errou o trecho algumas vezes, e tiveram que recomeçar.

"Não sabe nem o que está dizendo", pensava Chris. Aquele quadrado, e aquelas palavras, não faziam parte do espetáculo que apresentavam nas praças.

Quando terminou de riscar a areia, pediu que os dois se aproximassem; mas eles continuavam dentro do quadrado, e ela se mantinha do lado de fora.

Vahalla virou-se para Paulo, olhou-o no fundo dos olhos, e entregou-lhe seu chicote.

— Guerreiro, você está preso no seu destino, pelo poder destas linhas e destes nomes sagrados. Guerreiro vencedor de uma batalha, você está em seu castelo, e receberá a recompensa.

Paulo criou, mentalmente, as paredes do castelo. A partir daquele momento, o desfiladeiro, as Valkírias, Chris, Vahalla, tudo o mais perdia a importância.

Era um ator do Teatro Sagrado. O Ritual Que Derruba os Rituais.

— Prisioneira — disse Vahalla para a garota —, é humilhante tua derrota. Não soubeste defender com honra o teu exército. As Valkírias virão dos céus recolher teu corpo quando estiveres morta. Mas, até lá, receberás o merecido castigo dos perdedores.

Com um gesto abrupto, rasgou a blusa da garota.

— Começa o espetáculo! Eis, guerreiro, seu troféu!

Empurrou com violência a menina. Ela caiu de mau jeito, e feriu o queixo. Um pouco de sangue começou a sair.

Paulo ajoelhou-se ao seu lado. Suas mãos apertavam o chicote de Vahalla, que parecia ter força própria. Aquilo assustou-o, e por alguns momentos saiu das paredes imaginárias do castelo e voltou ao desfiladeiro.

— Ela está machucada de verdade — disse Paulo. — Precisa de cuidados.

— Guerreiro, este é o seu troféu! — repetiu Vahalla, se afastando. — A mulher que conhece o segredo que você procura. Arranque este segredo dela, ou desista para sempre.

"Non nobis, Domine, non nobis. Sed nomini Tuo da Gloriam",* disse em voz baixa, repetindo o moto templário. Tinha que tomar uma decisão rápida. Lembrou-se da época em que

* Não por nós, Senhor, não por nós, mas pela glória de Teu nome.

não acreditava em nada, achava que não passava de uma encenação — e, mesmo assim, as coisas se transformaram no que eram: verdade.

Estava diante do Ritual Que Derruba os Rituais. Um momento sagrado na vida de um mago.

E havia uma menina ferida aos seus pés.

"Sed nomini Tuo da Gloriam" disse mais uma vez. E, no momento seguinte, vestiu seu corpo astral com o personagem que Vahalla havia sugerido. O Ritual Que Derruba os Rituais começava a surgir. Nada mais tinha importância — apenas aquele caminho desconhecido, aquela mulher assustada aos seus pés, e um segredo que precisava ser arrancado. Andou em volta da sua vítima, lembrando-se da época em que a moral era outra — possuir as mulheres fazia parte das leis do combate. Era por isso que os homens arriscavam suas vidas nas guerras: por ouro e por mulheres.

— Eu venci — gritou para a menina. — E você perdeu.

Ajoelhou-se e pegou-a pelos cabelos. Os olhos dela fixaram-se nos seus.

— Venceremos — disse a menina. — Conhecemos as leis da vitória.

Ele atirou-a de volta ao chão com violência.

— A lei da vitória é vencer.

— Vocês pensam que ganharam — continuou a prisioneira. — Ganharam uma batalha apenas. Nós venceremos.

Quem era aquela mulher que ousava falar com ele assim? Tinha um belo corpo — mas isto podia esperar. Precisava descobrir o segredo que buscava por tanto tempo.

— Me ensine a visão do anjo — disse, procurando fazer com que sua voz soasse calma. — E você será libertada.

— Sou livre.

— Não, você não conhece as leis da vitória — disse ele. — Foi por isso que derrotamos vocês.

A mulher pareceu desnortear-se um pouco. O homem falava em leis.

— Me fale sobre essas leis — respondeu ela. — E eu contarei o segredo do anjo.

A prisioneira fazia uma troca. Podia torturá-la, destruí-la. Estava ali, caída aos seus pés — e, mesmo assim, propunha uma troca.

"É uma mulher estranha", pensou. Talvez não confessasse com tortura. Era melhor fazer a troca. Falaria sobre as cinco leis da vitória, porque ela jamais sairia viva dali.

— A Lei Moral: é preciso lutar do lado certo, e por isso vencemos. A Lei do Tempo: uma guerra na chuva é diferente de uma guerra ao sol, uma batalha no inverno é diferente de uma batalha no verão.

Podia enganá-la agora. Mas não conseguia inventar, em tão pouco tempo, leis falsas. A mulher notaria sua hesitação.

— A Lei do Espaço — continuou, falando a verdade. — Uma guerra no desfiladeiro é diferente de uma guerra no campo. A Lei da Escolha: o guerreiro sabe escolher quem lhe dá conselhos, e quem vai ficar ao seu lado durante o combate. Um chefe não pode cercar-se de covardes ou traidores.

Ficou um momento pensando se devia ou não continuar. Mas já havia falado de quatro leis.

— A Lei da Estratégia — disse, afinal. — A maneira como se planeja a luta.

Isto era tudo. Os olhos da menina brilhavam.

— Agora fale-me dos anjos.

Ela ficou olhando para ele sem dizer nada. Havia conseguido a fórmula, embora fosse tarde demais. Aqueles guerreiros valentes jamais perdiam uma batalha — e a lenda dizia que usavam cinco leis de vitória. Agora ela já sabia.

Mesmo que não adiantasse para nada, já sabia. Podia morrer em paz. Merecia o castigo que ia receber.

— Fale-me dos anjos — repetiu o guerreiro.

— Não, não falarei dos anjos.

Os olhos do guerreiro mudaram, e ela ficou contente. Ele não teria piedade. Este era seu medo — que o guerreiro se deixasse levar pela Lei Moral, e poupasse sua vida. Não merecia isso. Tinha culpa — dezenas, centenas de culpas acumuladas durante toda sua curta vida. Decepcionara seus pais, decepcionara os homens que haviam se aproximado dela. Decepcionara os guerreiros que lutavam ao seu lado. Tinha se deixado prender — era fraca. Merecia o castigo.

— Ódio! — escutaram uma voz distante de mulher dizer. — O sentido do ritual é o Ódio!

— Houve uma troca — repetiu o guerreiro, e desta vez sua voz era cortante como aço. — Cumpri a minha parte.

— Você não me deixará sair viva — ela disse. — Mas, pelo menos, consegui o que queria. Mesmo que não sirva para nada.

"Ódio!" A distante voz de mulher já fazia efeito. Ele deixava que os seus piores sentimentos surgissem. O ódio foi crescendo no coração do guerreiro.

— Você irá sofrer — disse — os piores tormentos que alguém já sofreu.

— Sofrerei.

"Mereço isto", pensava. Merecia a dor, a punição, a morte. Desde criança havia se recusado a lutar — acreditava que não era capaz, aceitava tudo dos outros, sofria em silêncio as injustiças de que era vítima. Queria que todos entendessem como era boa, um coração sensível capaz de ajudar todo mundo. Queria que gostassem dela a qualquer preço. Deus lhe dera uma bela vida, e ela não foi capaz de aproveitar. Em vez disso, mendigou o amor dos outros, viveu a vida que os outros queriam que ela vivesse, tudo para mostrar que tinha bondade em seu coração, e que era capaz de agradar a todos. Tinha sido injusta com Deus, jogou fora sua vida. Agora precisava de um carrasco que a mandasse rápido para o inferno.

O guerreiro sentiu o chicote ganhando vida própria em suas mãos. Por um minuto, seus olhos tornaram a se cruzar com os da prisioneira.

Esperou que ela mudasse de idéia, pedisse perdão. Mas, em vez disso, a prisioneira contraiu seu corpo esperando o golpe.

A Lei Moral. De repente tudo havia desaparecido, menos a raiva de ter sido traído por uma prisioneira. O ódio vinha em ondas, e ele estava descobrindo o quanto era capaz de ser cruel. Sempre fora enganado, sempre deixara que seu coração fraquejasse nos momentos em que precisava executar a justiça. Sempre perdoara — não porque fosse uma pessoa boa, mas porque era um covarde, tinha medo de não conseguir chegar até o fim.

Vahalla olhou para Chris. Chris olhou para Vahalla. A lua não permitia que vissem claramente os olhos uma da outra, e isto era bom. As duas tinham medo de mostrar o que estavam sentindo.

— Pelo amor de Deus! — a mulher gritou mais uma vez, antes que o golpe descesse.

O guerreiro parou o chicote no alto.

Mas o inimigo havia chegado.

— Chega — disse Vahalla. — É o suficiente.

Os olhos de Paulo estavam vidrados. Ele segurou Vahalla pelos ombros.

— Tenho este ódio! — gritava. — Não estou representando! Soltei os demônios que não conhecia!

Vahalla retirou o chicote de suas mãos, e foi ver se Rotha estava ferida.

A menina chorava com o rosto entre os joelhos.

— Tudo era verdade — disse, abraçando-se a Vahalla. — Eu provoquei, eu o usei para que me castigasse. Queria que ele me destruísse, que acabasse comigo. Meus pais me culpam, meus irmãos me culpam, só tenho feito coisas erradas na vida.

— Vá colocar outra blusa — disse Vahalla.

Ela levantou-se, ajeitou a blusa rasgada.

— Quero continuar assim — disse.

Vahalla hesitou por um momento, mas não disse nada. Em vez disso, caminhou para a parede do canyon, e começou a subir. Quando chegou lá em cima, ao lado de três Valkírias, fez um sinal para que eles também subissem.

Chris, Rotha e Paulo escalaram a parede em silêncio; a lua iluminava o caminho, as pedras tinham muitas rachaduras, não havia qualquer dificuldade especial. Lá no alto, a vista era como se estivessem numa enorme planície, cheia de fendas.

Vahalla pediu que a menina e Paulo se aproximassem um do outro, e ficassem frente a frente, encostados.

— Machuquei? — perguntou a Rotha. Estava horrorizado consigo mesmo.

Rotha fez "não" com a cabeça. Tinha vergonha — jamais conseguiria ser como uma daquelas mulheres ao seu lado. Era fraca.

Vahalla pegou os lenços de duas Valkírias, uniu-os — e passou pela cintura do homem e da mulher, amarrando-os juntos. De onde estava, Chris podia ver a lua formando um halo em volta dos dois. Era uma cena linda — se não fosse por tudo que tinha acontecido, se aquele homem e aquela mulher não estivessem tão distantes e tão próximos um do outro.

— Sou indigna de ver meu anjo — disse a Valkíria. — Sou fraca, meu coração se enche de vergonha.

— Sou indigno de ver meu anjo — disse Paulo, para que todos escutassem. — Tenho ódio em meu coração.

— Meu coração amou várias mulheres. E afastou o amor dos homens — disse Rotha.

— Alimentei ódios durante anos, e me vinguei quando nada daquilo tinha mais importância — continuou Paulo. — Sempre fui perdoado por meus amigos, e jamais soube perdoá-los.

Vahalla virou-se em direção à lua.

— Estamos aqui, arcanjo. Seja feita a vontade do Senhor. Nossa herança é o ódio e o medo, a humilhação e a vergonha. Seja feita a vontade do Senhor.

"Por que não bastou fechar as portas do Paraíso? Precisava também fazer com que carregássemos o inferno na alma? Mas se esta é a vontade do Senhor, saiba que toda a humanidade a vem cumprindo através das gerações."

(Vahalla caminha em torno dos dois)

PREFÁCIO E SAUDAÇÃO

Louvado seja Nosso Senhor Jesus Cristo, para sempre seja louvado.

Falam Contigo os guerreiros da culpa.

Aqueles que sempre usaram as melhores armas que possuíam — contra si mesmos.

Os que se julgam indignos das bênçãos. Os que acham que não foram feitos para a felicidade. Os que se sentem piores que os outros.

Falam Contigo os que chegaram às portas da libertação, olharam o Paraíso, e disseram para si mesmos: "Não devemos entrar; não merecemos."

Falam Contigo aqueles que experimentaram um dia o julgamento de seu próximo: e acharam que a maioria tinha razão.

Falam Contigo aqueles que julgaram e condenaram a si mesmos.

(Uma das Valkírias entrega o chicote para Vahalla. Ela levanta o chicote para o céu.)

PRIMEIRO ELEMENTO: O AR

Aqui está o chicote. Se somos assim, castiga-nos.

Castiga-nos porque somos diferentes. Porque somos aqueles que ousaram sonhar, e acreditar em coisas em que ninguém acredita mais.

Castiga-nos porque desafiamos o que existe, o que todos aceitam, o que a maioria não quer mudar.

Castiga-nos porque falamos de Fé, e nos sentimos sem esperança. Falamos de Amor, e não recebemos nem o carinho nem o conforto que julgamos merecer. Falamos de liberdade e estamos presos às nossas culpas.

E no entanto, Senhor, mesmo que eu levantasse este chicote tão alto, a ponto de tocar as estrelas, eu não encontraria Tua mão.

Porque ela está sobre nossas cabeças. E ela nos afaga e nos diz: "Não sofram mais. Eu já sofri o suficiente."

"Também sonhei, acreditei num mundo novo. Falei de Amor, e ao mesmo tempo pedi ao Pai para afastar meu cálice. Desafiei o que existia, e que a maioria não desejava mudar. Julguei ter agido errado, quando fiz meu primeiro milagre: transformar água em vinho só para animar uma festa. Senti o olhar duro do meu semelhante, gritei 'Pai, Pai, por que me abandonaste?' "

Eles já usaram em mim o chicote. Vocês não precisam sofrer mais."

(Vahalla larga o chicote no chão, e espalha areia ao vento.)

SEGUNDO ELEMENTO: A TERRA

Pertencemos a este mundo, Senhor. E ele está povoado por nossos temores.

Escreveremos nossas culpas na areia, e o vento do deserto se encarregará de dissipá-las.

Mantém nossa mão firme, e faz com que não desistamos de lutar, mesmo nos sentindo indignos da batalha.

Usa nossa vida, alimenta nossos sonhos. Se somos feitos da Terra, a Terra também é feita de nós. Tudo é uma coisa só.

Nos instrui e nos usa. Somos teus para sempre.

A Lei foi reduzida a um mandamento: "Ama o próximo como a ti mesmo."

Se amarmos, o mundo se transforma. A luz do Amor dissipa as trevas da culpa.

Nos mantém firmes no Amor. Faz com que aceitemos o Amor de Deus por nós.

Nos mostra nosso amor por nós mesmos.

Nos obriga a procurar o amor do próximo. Mesmo com medo da rejeição, dos olhares severos, da dureza do coração de alguns —. faz com que jamais desistamos de procurar o Amor.

(Uma das Valkírias estende uma tocha para Vahalla. Ela pega seu isqueiro e acende o fogo, e levanta a tocha em direção ao céu.)

TERCEIRO ELEMENTO: O FOGO

Tu disseste, Senhor: "Vim atear fogo à Terra. E vigio para que arda."

Que o fogo do amor arda em nossos corações.

Que o fogo da transformação arda em nossos gestos.

Que o fogo da purificação queime nossas culpas.

Que o fogo da justiça conduza nossos passos.

Que o fogo da sabedoria ilumine nosso caminho.

Que o fogo que espalhaste sobre a Terra não se apague jamais. Ele está de volta, e nós o carregamos conosco.

As gerações anteriores passavam seus pecados para as gerações seguintes. E assim foi, até os nossos pais.

Agora, entretanto, passaremos adiante a tocha do Teu fogo.

Somos guerreiros e guerreiras da Luz, esta luz que carregamos com orgulho.

O fogo que, ao ser aceso pela primeira vez, nos mostrou nossas faltas e nossa culpa. Nós ficamos surpresos, assustados, e nos sentimos incapazes.

Mas era o fogo do Amor. E ele queimou o que havia de mau em nós, quando o aceitamos.

Ele nos mostrou que não somos nem piores nem melhores que aqueles que nos olhavam com severidade.

E por isso aceitamos o perdão. Não há mais culpa, podemos voltar ao Paraíso. E conduziremos o fogo que arderá na Terra.

(Vahalla prende a tocha em uma rocha. Então, abre seu cantil e derrama um pouco de água na cabeça de Paulo e Rotha.)

QUARTO ELEMENTO: A ÁGUA

Tu disseste: "Quem beber desta água jamais terá sede."

Pois bem, estamos bebendo desta água. Lavamos nossas culpas, por amor da Transformação que vai sacudir a Terra.

Escutaremos o que os anjos dizem, seremos mensageiros e mensageiras de suas palavras.

Lutaremos com as melhores armas e os cavalos mais velozes.

A porta está aberta. Somos dignos de entrar.

"Senhor Jesus Cristo, que dissestes a vossos apóstolos, 'minha paz vos deixo, minha paz vos dou', não olheis os nossos pecados, mas a fé que anima vossa assembléia."

Chris conhecia aquele trecho. Era semelhante ao usado no ritual católico.

— Cordeiro de Deus, que tirais os pecados do mundo, tende piedade de nós — concluiu Vahalla, desamarrando o lenço que unia os dois.

— Estão livres.

Vahalla então aproximou-se de Paulo.

"O bote", pensou Chris. "O bote da serpente virá agora. O pagamento é ele. Ela está apaixonada. Se a Valkíria disser o preço, ele vai aceitar, e terá prazer. Então não vou poder dizer nada — porque sou uma mulher comum, não conheço as leis do mundo dos anjos. Nenhum deles vê que já morri muitas vezes neste deserto, e nasci outras tantas. Não percebem que converso com o anjo, e que minha alma cresceu. Estão acostumados comigo, sabem o que penso."

"Eu o amo. Ela está apenas apaixonada."

— AGORA SOU EU E VOCÊ, VALKÍRIA!! O Ritual Que Derruba os Rituais!

O grito de Chris ecoou pelo deserto sinistro, banhado pela luz da lua.

Vahalla já esperava este grito. Já havia vencido a culpa, e sabia que o que estava querendo não era um crime. Apenas um capricho. Merecia cultivar seus caprichos — seu anjo havia lhe ensinado que estas coisas não afastavam ninguém de Deus e da tarefa sagrada que cada um tem que realizar na vida.

Lembrou-se da primeira vez que vira Chris, numa lanchonete. Um arrepio tinha percorrido seu corpo, e estranhas intuições — que não conseguia compreender — haviam se apossado dela. "O mesmo deve ter se passado com ela", pensou.

Paulo? Havia cumprido sua missão com ele. E, sem que ele soubesse, o preço que cobrou foi alto — enquanto caminhavam pelo deserto, aprendera vários rituais que J. usava apenas com seus discípulos. Ele havia contado tudo.

Também o desejava como homem. Não pelo que era — mas pelo que sabia. Um capricho, e seu anjo perdoava os caprichos.

Olhou de novo para Chris.

"Estou na décima volta. Também preciso mudar. Esta mulher é um instrumento dos anjos."

— O Ritual Que Derruba os Rituais — respondeu a Valkíria. — Que Deus envie os personagens!

Aceitava o desafio. Seu momento de crescer havia chegado.

As duas começaram a andar em torno de um círculo imaginário, como faziam os velhos cowboys do oeste antes do duelo. Não se ouvia um ruído — era como se o tempo tivesse parado.

Quase todo mundo ali entendia o que estava acontecendo, porque todas eram mulheres, acostumadas a lutar pelo amor. E fariam isso até às derradeiras conseqüências, usando truques, artifícios — fariam isso por causa daquela espécie estranha chamada Homem, que justificava suas vidas e seus sonhos.

O cenário mudava, o personagem de Chris começava a aparecer. As roupas de couro iam surgindo, o lenço amarrado na cabeça, a medalha do arcanjo Miguel entre os seios. Ela se vestia com o personagem da força, da mulher que admirava e que gostaria de ser. Ela se vestia de Vahalla.

Chris fez um gesto com a cabeça, e as duas pararam. Vahalla havia reconhecido o personagem da outra — estava diante de um espelho imaginário.

Podia se olhar. Sabia de cor a arte da guerra, e esquecera as lições do amor. Conhecia as cinco leis da vitória, dormia com todos os homens que tivesse vontade, mas havia esquecido a arte do amor.

Olhou para si mesma refletida na outra; tinha poder suficiente para derrotá-la. Mas seu personagem estava aparecendo, tomando forma, e era um personagem que, embora também repleto de poder, não estava acostumado com aquele tipo de luta.

O personagem surgia — estava vendo com tanta claridade! Transformava-se em uma mulher apaixonada que seguia junto com o seu homem, carregando sua espada quando necessário e o protegendo de todos os perigos. Era uma mulher forte, embora parecesse fraca. Era alguém que trilhava o caminho do amor como a única estrada possível para chegar até a Sabedoria, um caminho onde os mistérios se revelavam através da Entrega e do Perdão.

Vahalla se vestia de Chris.

E Chris se olhava, refletida na outra.

Começou a andar lentamente em direção à beira do despenhadeiro. Vahalla imitou-a; as duas se aproximaram do abismo. Uma queda dali podia ser mortal, ou causar sérios danos; mas elas eram mulheres — as mulheres não conhecem limites. Chris parou na beirada, dando tempo de a outra se aproximar e fazer o mesmo.

O chão estava dez metros abaixo, e a lua, milhares de quilômetros acima. Entre a lua e o chão, duas mulheres se enfrentavam.

— Ele é meu homem. Não o toque só por capricho. Você não o ama — disse Chris.

Vahalla ficou em silêncio.

— Vou dar mais um passo — continuou. — Sobreviverei. Sou uma mulher de coragem.

— Irei com você — respondeu Vahalla.

— Não faça isto. Você agora conhece o amor. É um mundo imenso, terá que usar toda a sua vida para entendê-lo.

— Não farei, se você não fizer. Você agora conhece sua força. Seu horizonte passou a ter montanhas, vales, desertos. Sua alma é grande, e crescerá cada vez mais. Você descobriu sua coragem, e isto basta.

— Basta, se o que te ensinei servir como o preço que ia cobrar.

Houve um longo silêncio. De repente, a Valkíria caminhou até Chris.

E beijou-a.

— Aceito o preço — disse. — Obrigada por ter me ensinado.

Chris retirou o relógio de seu pulso. Era tudo que tinha para oferecer naquele momento.

— Obrigada por ter me ensinado — disse. — Conheço agora minha força. Jamais conheceria se não tivesse vivido uma estranha, bonita e poderosa mulher.

Com todo carinho, colocou o relógio no pulso de Vahalla.

O sol brilhava no Vale da Morte. As Valkírias amarraram os lenços, tapando o rosto — deixando apenas olhos de fora. Os cavalos estavam ariscos e excitados.

Vahalla se aproximou, puxando seu animal pelas rédeas.

— Não podem ir conosco. Precisa ver o seu anjo.

— Falta algo — disse Paulo. — A aposta.

— As apostas e os pactos são feitos com os anjos. Ou com os demônios.

— Não sei como vê-lo — respondeu ele.

— Você já rompeu o acordo. Já aceitou o perdão. Seu anjo aparecerá para a aposta.

Os cavalos não paravam de se mover. Ela colocou o lenço no rosto, montou seu animal e virou-se para Chris.

— Estarei sempre em você — disse Chris. — E você sempre estará em mim.

Vahalla tirou a luva, e atirou na direção dela. Depois, levantou o chicote. Os cavalos partiram, deixando para trás uma gigantesca nuvem de poeira.

Um homem e uma mulher andavam pelo deserto. Paravam em cidades com milhares de habitantes, e em vilarejos com apenas um motel, um restaurante e um posto de gasolina. Ninguém perguntava nada — e, à tarde, eles passeavam pelas rochas e montanhas, sentavam-se voltados para o lugar onde a primeira estrela ia nascer, e conversavam com seus anjos.

Ouviam vozes, sentiam impulso de dar conselhos um para o outro, lembravam coisas que pareciam definitivamente esquecidas em algum lugar do passado.

Ela terminava de canalizar a proteção e a sabedoria de seu anjo, e olhava o pôr-do-sol no deserto.

Ele continuava sentado, esperando. Aguardava que seu anjo descesse e se mostrasse em toda a sua glória. Tinha feito tudo certo, agora precisava esperar.

Esperava uma, duas, três horas. Só levantava quando a noite descia por completo; então, pegava sua mulher e retornavam à cidade.

Jantavam, voltavam para o hotel. Ela fingia que dormia, ele ficava olhando o vazio.

Ela se levantava no meio da noite, e ia até onde ele estava, pedia que se deitasse ao seu lado. Fingia que havia dormido, que estava com medo de ficar sozinha na cama por causa de algum sonho mau. Ele estendia-se ao seu lado e continuava quieto.

— Você já está conversando com seu anjo — costumava dizer nestas horas. — Tenho escutado você falar enquanto está canalizando. São coisas que você nunca disse na vida, são conselhos de sabedoria — seu anjo está presente.

Ele acariciava sua cabeça, e continuava quieto. Ela se perguntava se aquela tristeza era realmente por causa do anjo, ou por uma mulher que havia partido, e que nunca tornariam a ver.

Esta pergunta ficava trancada em sua garganta, e voltava para o silêncio de seu coração.

Paulo pensava na mulher que havia partido, sim. Mas não era o que o deixava triste. O tempo estava passando, em breve estaria de volta a seu país. Ia reencontrar-se com o homem que lhe ensinara que os anjos existem.

"Este homem", imaginava Paulo, "me dirá que o que fiz foi o bastante, que rompi um acordo que precisava ser rompido, que aceitei um perdão que deveria ter aceito há muito tempo. Sim, este homem continuará a me ensinar o caminho da sabedoria e do amor, e eu estarei cada vez mais próximo de meu anjo, conversando com ele todos os dias, agradecendo sua proteção e pedindo seu auxílio. Este homem me dirá que isso é o suficiente."

Sim, porque J. o ensinara, desde o começo, que existiam fronteiras. Que era necessário ir o mais longe possível — mas havia certos momentos em que era preciso aceitar o mistério, e entender que cada um tinha seu dom. Alguns sabiam curar, outros tinham a palavra da sabedoria, outros conversavam com espíritos, e daí por diante. Era através da soma destes dons que Deus podia mostrar a Sua glória, usando o homem como instrumento. As portas do Paraíso estariam abertas para aqueles que resolvessem entrar. O mundo estava nas mãos daqueles que tivessem coragem de sonhar — e viver seus sonhos.

Cada qual com seu talento. Cada qual com seu Dom.

Mas nada daquilo servia de consolo para Paulo. Ele sabia que Took vira o anjo. Que Vahalla vira o anjo. Que muitas outras pessoas haviam deixado livros, histórias, relatos, contando como tinham visto anjos.

E ele não conseguia ver o seu.

Faltavam seis dias para deixarem o deserto, e começaram o caminho de volta. Pararam na praça de uma pequena cidade, onde a maior parte da população era constituída de velhos. Aquele lugar conhecera seus momentos de glória — quando a mina de ferro que funcionava ali trazia empregos, prosperidade, e esperança aos seus habitantes. Mas, por alguma razão — que eles desconheciam — a companhia havia vendido as casas aos antigos funcionários, e fechara a mina.

— Agora se foram nossos filhos — dizia uma mulher, que havia sentado na mesa deles. — Não resta ninguém, a não ser os mais velhos. Um dia esta cidade vai desaparecer, e todo o nosso trabalho, tudo o que construímos, não significará mais nada.

Há muito tempo não aparecia alguém na cidade. A velha estava contente por ter com quem conversar.

— O homem vem, constrói, tem a esperança de que aquela obra que está fazendo seja importante — continuou ela. — Mas, de uma hora para outra, descobre que estava exigindo mais do que a terra podia dar. Então deixa tudo e segue adiante, sem dar-se conta de que carregou outros para seu sonho — outros que, por serem mais fracos, acabam ficando para trás. Como as cidades fantasmas do deserto.

"Talvez isto esteja acontecendo comigo", pensava Paulo. "Eu mesmo me trouxe, eu mesmo me abandonei."

Lembrou-se que, certa vez, um domador lhe contou como conseguiam manter os elefantes presos. Os animais, ainda pequenos, ficavam amarrados por correntes a um toco de pau. Tentavam sair, e não conseguiam, tentavam a infância inteira, mas o pedaço de pau era mais forte que eles.

Então acostumaram-se ao cativeiro. E, quando grandes e fortes, bastava o domador colocar a corrente em uma das patas, e amarrar em qualquer lugar — até mesmo num graveto — que não ousavam tentar sair. Estavam presos ao passado.

As longas horas do dia pareciam não acabar nunca. O céu pegava fogo, a terra fervia, e tinham que esperar, esperar, esperar — até que a cor do deserto se transformasse de novo nos tons suaves do tijolo e do rosa. Então era o momento de sair da cidade, tentar mais uma vez a canalização, e esperar mais uma vez o anjo.

— Alguém já disse que a terra produz o suficiente para satisfazer a necessidade, e não a cobiça — continuou a velha.

— A senhora acredita em anjos?

A velha espantou-se com a pergunta. Mas este era o único assunto que interessava a Paulo.

— Quando a gente é velho, e está perto da morte, passa a acreditar em qualquer coisa — respondeu ela. — Mas não sei se acredito em anjos.

— Eles existem.

— Você viu algum? — havia uma mistura de incredulidade e esperança nos seus olhos.

— Converso com meu anjo da guarda.

— Ele tem asas?

Era a pergunta que todo mundo fazia. Esquecera de perguntar isto para Vahalla.

— Não sei, ainda não o vi.

Por alguns minutos, a velha pensou em levantar-se da mesa. A solidão do deserto enlouquecia as pessoas. Podia ser também que aquele homem estivesse brincando com ela, tentando passar o tempo.

Sentiu vontade de perguntar de onde aquele casal vinha, e o que fazia num lugar como Ajo. Não conseguia identificar o estranho sotaque.

"Talvez venham do México", pensou. Mas não pareciam mexicanos. Perguntaria quando a oportunidade surgisse.

— Não sei se vocês estão brincando comigo — disse ela — mas, como disse antes, estou próxima de minha morte. Posso durar mais cinco, dez, vinte anos — entretanto, com esta idade a gente termina entendendo que vai morrer.

— Também sei que vou morrer — disse Chris.

— Não, não como um velho sabe. Para você, a morte é uma idéia remota, que pode acontecer um dia. Para nós, é algo que pode vir amanhã. Por isso, muitos velhos passam o tempo que lhes sobra olhando apenas numa direção: o passado. Não é que gostem muito das lembranças; mas sabem que ali não vão encontrar o que temem.

"Poucos velhos olham para o futuro, e eu sou um deles. Quando fazemos isso, descobrimos o que o futuro realmente nos reserva: a morte."

Paulo não disse nada. Não podia falar da importância da consciência da morte para os que praticam a magia. A velha ia levantar-se da mesa se soubesse que ele era um mago.

— Por isso, gostaria de acreditar que vocês estão falando sério. Que anjos existem — continuou ela.

— A morte é um anjo — disse Paulo. — Eu já o vi duas vezes nesta encarnação, mas muito rapidamente, não deu para ver seu rosto. Entretanto, conheço pessoas que já o viram, e outras que foram carregadas por ele, e me contaram depois. Essas pessoas dizem que seu rosto é bonito, e seu toque é suave.

Os olhos da velha fitaram Paulo. Ela queria acreditar.

— Tem asas?

— É formado de luz — respondeu ele. — Assumirá a forma que for mais fácil para você receber, quando chegar o momento.

A velha ficou algum tempo quieta. Depois levantou-se.

— Perdi meu medo. Rezei agora em silêncio, e pedi que o anjo da morte tivesse asas quando viesse me visitar. Meu coração me diz que serei atendida.

Deu um beijo em cada um. Não tinha importância saber de onde vinham.

— Foi meu anjo que enviou vocês. Muito obrigada.

Paulo lembrou-se de Took. Eles também haviam sido instrumentos de um anjo.

Quando o sol começou a descer, foram para uma montanha perto de Ajo. Sentaram-se, voltados para o leste, esperando a primeira estrela nascer. Iniciariam a canalização quando isso acontecesse.

Chamavam de "contemplação do anjo". Era a primeira cerimônia criada depois que o Ritual Que Destrói os Rituais varrera as anteriores.

— Nunca perguntei — disse Chris, enquanto esperavam — por que você quer ver seu anjo.

— Mas já me explicou várias vezes que não tinha a menor importância.

Sua voz soava irônica. Ela fingiu não ligar.

— OK. Então isto tem importância para você. Me explique o porquê.

— Já contei tudo no dia do encontro com Vahalla — respondeu.

— Você não precisa de um milagre — insistiu ela. — Você quer satisfazer um capricho.

— Não existem caprichos no mundo espiritual. Você aceita, ou não.

— E então? Você não aceitou este seu mundo? Ou tudo que falou é mentira?

"Ela deve estar se lembrando da história na mina", pensou Paulo. Era difícil responder — mas ia tentar.

— Eu já vi milagres — começou. — Muitos milagres. Já vimos inclusive alguns milagres juntos. Vimos J. abrir buracos em nuvens, encher de luz a escuridão, mudar coisas de lugar.

"Você já me viu adivinhar certos pensamentos, fazer ventar, executar rituais de poder. Vi a magia funcionar repetidas vezes em minha vida — para o mal, e para o bem. Não tenho dúvidas a este respeito."

Fez uma longa pausa.

— Mas também nós nos acostumamos aos milagres. E sempre precisamos mais. A fé é uma conquista difícil, que exige combates diários para ser mantida.

A estrela ia surgir, precisava acabar logo a explicação. Mas Chris o interrompeu.

— Assim tem sido nosso casamento — disse. — E eu estou exausta.

— Não entendo. Estou falando do mundo espiritual.

— Só consigo entender o que você está falando, porque conheço o seu amor — disse. — Estamos juntos há muito tempo e, depois que se passaram os dois primeiros anos de alegria e paixão, cada dia passou a ser para mim um desafio. Tem sido muito difícil manter a chama do amor acesa.

Ficou um pouco arrependida de ter começado o assunto — mas agora iria até o final.

— Certa vez você me disse que o mundo se dividia entre os agricultores — que amam a terra e a colheita — e os caçadores, que amam florestas escuras e conquistas. Me falou que eu era uma agricultora, como J. Que trilhava o caminho da sabedoria através da contemplação.

"Mas que estava casada com um caçador."

Sua cabeça funcionava rápido, não conseguia parar de falar. Tinha medo que a estrela surgisse.

— Como foi, e como é difícil ser casada com você! Você é como Vahalla, como as Valkírias, que nunca estão sossegadas, sabem viver apenas a emoção forte da caçada, dos riscos, das noites escuras em busca da presa. No início, achei que não conseguiria conviver com isso; eu, que buscava uma vida igual a tantas outras mulheres, casada com um mago! Um mago cujo mundo é regido por leis que não conheço — uma pessoa que só acredita que está vivendo sua vida quando se encontra diante de um desafio.

Encarou-o nos olhos.

— J. não é um mago muito mais poderoso que você?

— Muito mais sábio — respondeu Paulo. — Muito mais vivido e experiente. Segue o caminho do agricultor, e neste caminho encontra seu poder. Eu só conseguirei encontrar o meu poder no caminho do caçador.

— Então por que o escolheu como discípulo?

Paulo riu.

— Pela mesma razão que você me escolheu como marido. Porque somos diferentes.

— Vahalla, você, e todos os seus amigos, só pensam na Conspiração. Nada mais tem importância — estão fixados nesse negócio de mudanças, de mundos novos que vão surgir. Acredito neste novo mundo mas — poxa! — tem que ser assim?

— Assim como?

Ela pensou um minuto. Não sabia exatamente por que dissera aquilo.

— Com conspirações.

— Você é que criou o termo.

— Mas sei que é verdade. E você confirmou.

— Falei que as portas do Paraíso estavam abertas, por um tempo, para quem quisesse entrar. Mas também disse que cada um tinha o seu caminho — e só o anjo pode dizer qual o rumo certo.

"Por que estou agindo assim? O que está acontecendo comigo?", pensou ela.

Lembrou-se das gravuras que via na infância, onde os anjos conduziam crianças pela beira de um abismo. Estava surpresa com as próprias palavras. Já brigara muitas vezes com ele, mas jamais havia falado de magia como falava agora.

Entretanto — naqueles quase quarenta dias de deserto —, sua alma crescera, descobrira uma segunda mente, tinha enfrentado uma mulher de poder. Morrera muitas vezes, e renascera mais forte.

"Tive prazer na caçada", pensou.

Sim. Era isso que a estava deixando louca. Porque, desde o dia em que convidou Vahalla para o duelo, ficou com a sensação de que havia desperdiçado sua vida.

"Não, não posso aceitar isso. Conheço J., ele é um agricultor, e é uma pessoa iluminada. Conversei com meu anjo antes de Paulo. Sei falar com ele tão bem quanto Vahalla — embora a linguagem dele ainda seja um pouco confusa."

Mas estava apreensiva. Talvez tivesse errado quando escolheu sua maneira de viver.

"Preciso continuar falando", pensou. "Preciso convencer a mim mesma de que não errei."

— Você precisa de mais um milagre — disse —, e irá precisar sempre. Jamais estará satisfeito, e nunca vai entender que o reino dos céus não pode ser tomado de assalto.

("Deus, faz com que o anjo dele apareça, porque isto é muito importante para ele! Faz com que eu esteja errada, Senhor!")

— Você não me deixou falar — disse ele.

Mas, neste momento, a primeira estrela surgiu no horizonte.

Era hora da canalização.

Sentaram-se e, depois de um pequeno período de relaxamento, começaram a concentrar-se na segunda mente. Chris não conseguia parar de pensar na frase final de Paulo — realmente não permitira que ele respondesse.

Agora era tarde. Precisava deixar que a segunda mente contasse seus problemas aborrecidos, repetisse diversas vezes a mesma coisa, mostrasse as preocupações de sempre. A segunda mente, naquela noite, queria ferir seu coração. Dizia que ela escolhera um caminho errado, e que só havia descoberto seu destino ao experimentar o personagem Vahalla.

A segunda mente dizia que era tarde demais para mudar, que sua vida havia fracassado, que ela passaria o resto da vida andando atrás do seu homem — sem experimentar o gosto das florestas escuras e da busca da presa.

A segunda mente lhe dizia que tinha encontrado o homem errado — que melhor seria casar com um agricultor. A segunda mente lhe dizia que Paulo tinha outras mulheres, e que eram mulheres caçadoras, que ele encontrava em noites de lua, e em secretos rituais mágicos. A segunda mente lhe dizia que devia deixá-lo, para que ele pudesse ser feliz com uma mulher igual a ele.

Ela argumentou algumas vezes — disse que não tinha importância saber que existiam outras mulheres, não pretendia largá-lo nunca. Porque o amor não tem lógica, nem razão. Mas a segunda mente voltava à carga — e ela resolveu parar de discutir, escutar em silêncio, até que a conversa foi morrendo, e silenciou.

Então, uma espécie de névoa começou a tomar conta de seu pensamento. A canalização começara. Uma indescritível sensação de paz apossou-se dela, como se as asas de seu anjo cobrissem o deserto inteiro, para que nada de mau lhe acontecesse. Quando canalizava, sentia um imenso amor por si mesma, e pelo Universo.

Manteve os olhos abertos, para não perder a consciência, mas as catedrais começaram a surgir. Apareciam do meio das brumas, imensas igrejas que nunca havia visitado, e que, no entanto, existiam em algum lugar da Terra. Nos primeiros dias eram apenas coisas confusas, cantos indígenas misturados com palavras sem sentido; mas agora, seu anjo lhe mostrava catedrais. Aquilo tinha um sentido, embora ainda não pudesse entender qual.

Mas estavam apenas começando uma conversa. A cada dia que passava, era capaz de entender melhor o seu anjo. Em breve, teriam uma comunicação tão clara como tinha com qualquer pessoa que falava sua língua. Era tudo uma questão de tempo.

O despertador de pulso de Paulo tocou. Vinte minutos se passaram. A canalização terminava.

Ela olhou-o. Sabia o que ia acontecer agora: ele continuaria em silêncio, e dentro em pouco ficaria triste. O anjo não havia aparecido. Então voltariam para o pequeno motel em Ajo, e ele sairia para um passeio, enquanto ela tentava dormir.

Esperou que ele se levantasse, e levantou-se também. Só que, em vez de tristeza, havia um brilho estranho em seus olhos.

— Verei meu anjo — disse ele. — Sei que verei. Fiz a aposta.

"A aposta você fará com seu anjo", dissera Vahalla. Nunca, em momento algum, havia dito: "A aposta, você fará com seu anjo, *quando ele aparecer.*" E, no entanto, ele havia entendido isto. Esperara, durante uma semana, que o anjo surgisse à sua frente. Estava pronto para aceitar qualquer aposta, porque o anjo era a Luz, e a Luz era o que justificava a existência do homem. Confiava na Luz, da mesma maneira que, quatorze anos antes, duvidara das trevas. Ao contrário da traiçoeira experiência das trevas, a Luz estabelecia suas regras antes — para que, quem as aceitasse, soubesse que também se comprometia com amor e misericórdia.

Havia cumprido duas condições, e quase falhado na terceira — a mais simples! Entretanto, a proteção do anjo não havia faltado e, durante a canalização... ah, como era bom ter aprendido a conversar com anjos! Agora sabia que podia vê-lo, porque a terceira condição estava satisfeita.

— Rompi um acordo. Aceitei um perdão. E, hoje, fiz uma aposta. Tenho fé e acredito — disse. — Acredito que Vahalla sabe o caminho da visão do anjo.

Os olhos de Paulo brilhavam. Não haveria caminhadas noturnas, nem insônia naquela noite. Ele tinha absoluta certeza de que ia ver seu anjo. Meia hora atrás, pedia um milagre — e agora isso não tinha mais importância.

Então, aquela noite, seria a vez de Chris ficar sem dormir, e caminhar pelas ruas desertas de Ajo, implorando a Deus que fizesse um milagre, porque o homem que ela amava precisava ver um anjo. Seu coração estava apertado, mais apertado que nunca. Talvez tivesse preferido um Paulo em dúvida, um Paulo que precisava de um milagre, um Paulo que parecia ter perdido a fé. Se o anjo aparecesse, muito bem; caso contrário, sempre podia culpar Vahalla por ter ensinado errado. Assim, não passaria por uma das mais amargas lições que Deus ensinou ao homem, quando fechou as portas do Paraíso: a decepção.

Mas não; tinha agora diante de si um homem que parecia apostar sua vida na certeza de que se podia ver anjos. E sua única garantia era a palavra de uma mulher que andava a cavalo pelo deserto, falando em novos mundos que iam chegar.

Talvez Vahalla nunca tivesse visto anjos. Ou talvez o que servia para ela, não servia para os outros — Paulo dissera isto na praça! Será que ele não escutava suas próprias palavras?

O coração de Chris foi ficando cada vez menor enquanto notava os olhos brilhantes do marido.

Neste momento, o rosto inteiro dele começou a brilhar.

— Luz! — gritou Paulo. — Luz!

Ela virou-se. No horizonte, perto de onde a estrela havia aparecido, três luzes brilhavam no céu.

— Luz! — ele repetiu mais uma vez. — O anjo!

Chris sentiu uma imensa vontade de ajoelhar-se, e agradecer, porque sua prece havia sido ouvida, e Deus enviara seu exército de anjos.

Os olhos de Paulo começaram a encher-se de água. O milagre havia acontecido, fizera a aposta certa.

Ouviu-se um estrondo do lado esquerdo, e outro sobre suas cabeças. Agora eram cinco, seis luzes brilhantes no céu; o deserto estava todo iluminado.

Por um momento perdeu a voz: estava também vendo seu anjo! Os estrondos iam ficando cada vez mais fortes, passando pelo lado direito, lado esquerdo, em cima da cabeça dos dois, trovões enlouquecidos que não vinham de cima, mas de trás, dos lados — e se dirigiam para o lugar onde estavam as luzes.

As Valkírias! As verdadeiras Valkírias, filhas de Votan, cavalgando pelos céus e carregando os guerreiros! Colocou a mão nos ouvidos, com medo.

Percebeu que Paulo estava fazendo o mesmo — e seus olhos já não tinham o mesmo brilho de antes.

Imensas bolas de fogo nasciam no horizonte do deserto, enquanto eles sentiam o chão tremendo a seus pés. Trovões nos Céus e na Terra.

— Vamos embora — disse ela.

— Não há perigo — ele respondeu. — Estão longe, muito longe. Aviões de guerra.

Mas os caças supersônicos quebravam a barreira do som perto deles, num ruído aterrador.

Os dois se abraçaram, e ficaram, durante muito tempo, assistindo àquele espetáculo macabro, com fascínio e terror. Não conseguiam ver os trovões, mas agora sabiam o que eram — porque havia bolas de fogo no horizonte, e aquelas luzes verdes — agora eram mais de dez — caindo lentamente do céu, iluminando o deserto inteiro, para que ninguém, mas ninguém mesmo, pudesse se esconder.

— É apenas um treinamento de guerra — ele tentava tranqüilizá-la. — Um exercício da Força Aérea. Existem muitos campos desses nesta região.

Mas um dia aquilo seria verdade. E ela imaginou que, nesse dia — também por acaso, como aqui —, o destino pudesse colocá-la numa cidade iluminada por aquelas luzes, e as bolas de fogo não estariam no horizonte, mas em cima, embaixo, do lado dela.

— Tinha visto no mapa — Paulo repetiu, tentando falar o mais alto possível. — Mas preferi acreditar que eram anjos.

"São instrumentos de anjos", ela pensou. "Anjos da morte."

O brilho amarelo das bombas caindo no horizonte misturava-se às fortíssimas luzes verdes que desciam lentamente, de pára-quedas — para que tudo embaixo fosse visível, e para que os aviões não errassem ao despejar suas cargas mortais.

O exercício durou quase meia hora. E, assim como haviam chegado, os aviões desapareceram, e o deserto voltou ao silêncio. As derradeiras luzes verdes chegaram ao chão e se apagaram. Agora podiam ver de novo as estrelas no céu, e o chão não tremia mais.

Paulo respirou fundo. Fechou os olhos e pensou com toda a força: "Ganhei a aposta. Não posso duvidar de que ganhei a aposta." A segunda mente ia e voltava, dizendo que não, que era tudo imaginação dele, que seu anjo não revelara o rosto. Mas ele cravou a unha do indicador no polegar, e apertou até que a dor se tornasse insuportável; a dor sempre evita que as pessoas fiquem pensando besteiras.

— Verei meu anjo — ele tornou a dizer, enquanto desciam da montanha.

O coração dela tornou a apertar. Mas não devia pensar nisso — ele poderia perceber. A única maneira rápida de mudar de assunto era escutar o que a segunda mente estava dizendo, e perguntar a Paulo se ela estava com a razão.

— Quero fazer uma pergunta — disse.

— Não me pergunte sobre o milagre. Ele acontecerá, ou não acontecerá. Não vamos desperdiçar energia em palavras.

— Não, não é sobre isso.

Hesitou muito antes de falar. Paulo era seu marido. Ele a conhecia melhor do que ninguém. Tinha medo de sua resposta, porque suas palavras — como as de qualquer marido — possuíam um peso diferente das palavras dos outros.

Mas resolveu perguntar de qualquer jeito; não agüentaria ficar com aquilo na sua cabeça.

— Você acha que eu errei na minha escolha? — disse. — Que desperdicei minha vida semeando, alegre ao ver o campo crescendo ao meu redor, em vez de experimentar a grande emoção da caçada?

Ele caminhava olhando o céu. Ainda pensava na aposta, e nos aviões.

— Muitas vezes — disse finalmente —, olho para as pessoas como J., que estão em paz, e através desta paz encontram a comunhão com Deus. Olho para você, que conseguiu conversar com seu anjo antes de mim — embora eu tenha vindo aqui para isso. Olho você dormindo com facilidade, enquanto eu vou para a janela e me pergunto por que não acontece o milagre que estou esperando. E me pergunto: será que escolhi o caminho errado?

Virou-se para ela.

— O que você acha? Escolhi o caminho errado?

Chris segurou as mãos dele.

— Não. Você seria infeliz.

— Você também, se tivesse escolhido meu caminho.

"Que bom saber disso", pensou.

Antes que o despertador tocasse, ele levantou sem fazer barulho.

Olhou para fora: ainda estava escuro.

Chris dormia ao seu lado, um sono agitado. Por uma fração de segundo, pensou em despertá-la também, dizer aonde ia, pedir que rezasse por ele — mas logo desistiu. Podia contar tudo quando voltasse. Além do mais, não estava indo para nenhum lugar perigoso.

Acendeu a luz do banheiro, e encheu o cantil na pia. Depois, bebeu o máximo de água que podia — não sabia quanto tempo ficaria lá fora.

Vestiu-se, pegou o mapa, relembrou o seu itinerário. Então, preparou-se para sair.

Mas não conseguia encontrar a chave do carro. Procurou nos bolsos, na mochila, na mesa-de-cabeceira. Pensou em acender o abajur — mas não, seria muito arriscado, a luz que vinha do banheiro já iluminava o suficiente. Não podia perder mais tempo — cada minuto gasto ali era um minuto a menos na espera do seu anjo. Dentro de quatro horas, o sol do deserto se tornaria insuportável.

"Chris escondeu a chave" pensou. Ela agora era uma outra mulher — conversava com seu anjo, sua intuição aumentara consideravelmente. Talvez tivesse descoberto seus planos — e estava com medo.

"Por que teria medo?" Na noite em que a vira na beira do precipício com Vahalla, os dois fizeram um juramento sagrado; prometeram nunca mais arriscar de novo a vida naquele deserto. Várias vezes o anjo da morte havia passado perto, e não era aconselhável ficar testando a paciência do anjo da guarda. Chris o conhecia o bastante para saber que ele jamais deixaria de cumprir o que prometera. Por isso estava saindo pouco antes de o sol raiar — para evitar os perigos da noite, e os perigos do dia.

E no entanto, ela estava com medo, e havia escondido a chave.

Dirigiu-se para a cama, decidido a acordá-la. E parou.

Sim, havia um motivo. Não era preocupação com sua segurança, com riscos que ele podia correr. Era medo, mas um medo diferente — medo de que seu marido fosse derrotado. Ela sabia que Paulo tentaria alguma coisa. Faltavam apenas dois dias para deixarem o deserto.

"Foi bom tomar esta providência, Chris", pensava, rindo consigo mesmo. "Uma derrota destas demoraria uns dois anos para ser esquecida, e enquanto isso você teria que me agüentar, passar noites em claro comigo, suportar meu mau humor, sofrer com minha frustração. Seria muito pior do que estes dias que passei sem descobrir como fazer a aposta."

Revirou as coisas dela: a chave estava no cinto onde guardava o passaporte e o dinheiro. Então lembrou-se da promessa sobre a segurança — aquilo tudo podia ter sido um aviso. Aprendera que ninguém saía para o deserto sem deixar, pelo menos, uma indicação do local aonde vai. Mesmo sabendo que logo estaria de volta, mesmo sabendo que o lugar não era, afinal, tão longe — e se algo acontecesse com o carro, podia chegar a pé até a estrada — resolveu não arriscar. Afinal de contas, tinha feito um juramento.

Colocou o mapa em cima da pia do banheiro. E usou o spray do sabão de barba para fazer um círculo em torno de um local: Glorieta Canyon.

Aproveitou e escreveu NÃO VOU ERRAR no espelho, usando o mesmo spray. Depois, calçou o tênis e saiu.

Quando ia ligar o carro, descobriu que havia deixado a chave na ignição.

"Ela deve ter mandado fazer uma cópia", pensou. "O que estava imaginando? Que ia deixá-la no meio do deserto?"

Foi então que lembrou-se do estranho comportamento de Took, quando esquecera a lanterna no carro. Foi graças à chave que deixou marcado o local aonde ia. Seu anjo estava fazendo com que tomasse todos os cuidados possíveis.

As ruas de Borrego Springs estavam desertas. "Não muito diferentes de durante o dia", pensou consigo mesmo. Recordou a primeira noite ali, quando haviam deitado no chão do deserto para imaginar seus anjos. Naquela época, tudo que queria era conversar com um deles.

Dobrou à esquerda, saiu da cidade, e começou a andar em direção ao Glorieta Canyon. As montanhas estavam do seu lado direito — as montanhas que os dois desceram de carro, depois de descobrir que o deserto começava de repente, sem aviso. "Naquela época", pensou consigo mesmo, e se deu conta de que não havia passado tanto tempo assim. Apenas 38 dias.

Mas, também como Chris, sua alma havia morrido muitas vezes naquele deserto. Andou atrás de um segredo que já conhecia, viu o sol se transformar nos olhos da morte, encontrou mulheres que pareciam anjos e demônios ao mesmo tempo. Voltou para uma escuridão que parecia esquecida. Descobriu que, embora falasse tanto de Jesus, jamais aceitara completamente seu perdão.

Encontrou também sua mulher — justamente quando acreditava que a tinha perdido para sempre. Porque (e Chris jamais podia saber disso) havia se apaixonado por Vahalla.

E foi então que entendeu a diferença entre paixão e amor. Assim como conversar com anjos, era uma coisa muito simples.

Vahalla era parte da fantasia de seu mundo, a mulher guerreira, caçadora, que conversava com anjos, e estava sempre disposta a enfrentar todos os riscos para superar seus próprios limites. Para ela, Paulo era o homem que possuía o anel da Tradição da Lua, o mago que sabia mistérios ocultos, o aventureiro capaz de largar tudo e ir em busca de anjos. Um sempre teria o outro — enquanto fosse exatamente o que imaginava.

Isso era a paixão: criar a imagem de alguém, e não avisar.

Um dia, porém, quando a convivência revelasse a verdadeira identidade de ambos, descobririam que atrás do Mago e da Valkíria viviam um homem e uma mulher. Com poderes, talvez, com alguns conhecimentos preciosos, mas — não podiam fugir desta realidade — um homem e uma mulher. Com a agonia, o êxtase, a força e a fraqueza de todos os outros seres humanos.

E, quando um deles se mostrasse como realmente é, o outro iria afastar-se — porque isto significava destruir o mundo que havia criado.

Descobrira o amor na beira de um despenhadeiro, com duas mulheres se entreolhando e a imensa lua brilhando atrás. O amor era — dividir o mundo com o outro. Ele conhecia bem uma daquelas mulheres, com ela dividia seu Universo. Viam as mesmas montanhas, as mesmas árvores, embora cada qual as olhasse de maneira diferente. Ela conhecia suas fraquezas, seus momentos de ódio, de desespero, e mesmo assim estava ao seu lado.

Dividiam o mesmo Universo. Embora, muitas vezes, tivesse a sensação de que tal Universo já não tinha mais segredos, ele descobrira — aquela noite no Vale da Morte — que tal sensação era uma mentira.

Parou o carro. Diante dele, um desfiladeiro entrava montanha adentro. Havia escolhido aquele lugar apenas por causa do nome — afinal de contas, os anjos estão presentes em todos os momentos, e em todos os lugares do mundo. Saltou, bebeu um pouco mais da água que trazia sempre em um grande vasilhame na mala do automóvel, e colocou o cantil na cintura.

Ainda pensava em Vahalla e Chris, quando começou a andar para o desfiladeiro. "Acho que me apaixonarei muitas outras vezes", falou consigo mesmo. Não se sentia culpado por isso. A paixão era algo bom, divertido, e que podia enriquecer muito a vida.

Mas era diferente do amor. E o amor vale qualquer preço, não merecia ser trocado por nada.

Parou na entrada do desfiladeiro, e olhou o vale à frente. O horizonte começou a ficar vermelho. Era a primeira vez que estava vendo um amanhecer no deserto; mesmo quando dormiam ao ar livre, sempre acordava com o sol já alto.

"Que grande espetáculo perdi", pensava. O topo das montanhas, ao longe, começou a brilhar, e a luz cor-de-rosa ia cobrindo o vale, as pedras, as pequenas plantas que insistiam em viver quase sem água. Ficou algum tempo contemplando a cena.

Lembrou-se do livro que acabara de publicar no Brasil, no qual — em determinado momento — o pastor Santiago vai para uma montanha olhar o deserto. Exceto pelo fato de não estar em cima de uma montanha, surpreendia-se da semelhança com o que havia escrito oito meses antes. Como também, só agora, estava se dando conta do nome da cidade onde haviam desembarcado nos Estados Unidos.

Los Angeles. Que, em espanhol, quer dizer: Os Anjos.

Mas não era hora de pensar nos sinais do caminho.

— Este é teu rosto, meu anjo da guarda — disse, em voz alta. — Eu te vejo. Estiveste sempre na minha frente, e quase nunca te reconheci. Escuto tua voz, cada dia a escuto mais claramente. Sei que existes, porque falam de ti em todos os recantos da Terra.

"Talvez um homem, ou uma sociedade inteira, pudesse estar errado. Mas todas as sociedades, e todas as civilizações, em todos os lugares do planeta, sempre falaram de anjos. Hoje em dia, as crianças, os velhos, e os profetas escutam. Mesmo assim, continuarão falando em anjos através dos séculos porque sempre existirão os profetas, as crianças e os velhos."

Uma borboleta azul começou a brincar na sua frente. Era seu anjo respondendo.

— Rompi um acordo. Aceitei um perdão.

A borboleta corria de um lado para o outro. Haviam visto diversas borboletas brancas no deserto — aquela, porém, era azul. Seu anjo estava contente.

— E fiz uma aposta. Naquela noite, no alto da montanha, apostei toda a minha fé em Deus, na vida, no meu trabalho, em J., apostei tudo o que tinha. Apostei que, quando eu abrisse os olhos, você se mostraria para mim. Coloquei minha vida inteira em um prato da balança. Pedi que você colocasse seu rosto no outro prato.

"E, quando abri os olhos, tinha diante de mim o deserto. Por alguns instantes, achei que havia perdido. Mas então — ah, como me lembro com carinho! —, então você falou."

Uma pequena risca de luz apareceu no horizonte. O sol estava nascendo.

— Lembra-se do que disse? Você disse: "Olha em volta, eis a minha face. Sou o lugar onde você estiver. Meu manto te cobrirá com os raios de sol, de dia, e com o brilho das estrelas, de noite." Eu ouvi claramente tua voz!

"E você ainda disse: 'Precises sempre de mim!' "

O seu coração estava alegre. Ia esperar o sol nascer, olhar bastante a face do seu anjo naquela manhã. Depois ia contar para Chris sobre a aposta. E dizer que ver o anjo era ainda mais fácil que conversar com ele! Bastava acreditar que anjos existem, bastava precisar de anjos. E eles se mostravam, brilhantes como o raiar da manhã. E ajudavam, cumpriam a tarefa de proteger e guiar, para que cada geração levasse sua presença para a geração seguinte — de modo que jamais fossem esquecidos.

"Escreve algo", escutou uma voz dizer dentro de sua cabeça.

Engraçado. Não estava procurando canalizar — apenas contemplava a face de seu anjo.

No entanto, alguma coisa dentro dele exigia que escrevesse algo. Tentou concentrar-se no horizonte e no deserto, mas não conseguiu mais.

Foi até o carro, pegou um papel e uma caneta. Tivera algumas experiências de psicografia, mas sem ir muito longe — J. dissera que aquilo não era para ele, e que devia ir em busca de seu verdadeiro dom.

Sentou-se no chão do deserto, com a caneta entre os dedos, e procurou relaxar. Daqui a pouco, a caneta começaria a mover-se sozinha, faria alguns riscos, e as palavras começariam a surgir. Para isso, precisava perder um pouco a consciência, deixar que algo — um espírito ou um anjo — o possuísse.

Entregou-se completamente, aceitou ser um instrumento. Mas nada aconteceu. "Escreve algo", escutou de novo a voz em sua cabeça.

Ficou assustado. Não ia ser incorporado por um espírito. Estava canalizando sem querer — como se seu anjo estivesse ali, falando com ele. Não era psicografia.

Pegou a caneta de maneira diferente — agora com firmeza.

As palavras começaram a surgir, nítidas. E ele ia copiando, sem tempo de pensar no que escrevia:

Por amor de Sião, não me calarei,
e por amor de Jerusalém não descansarei,
até que desponte para ela a justiça, qual astro,
e a sua salvação qual facho ardente.

Aquilo nunca havia acontecido antes. Estava *escutando* uma voz, dentro dele, ditando as palavras:

E chamar-te-ão com um nome novo,
pronunciado pela boca do Senhor;
e serás brilhante coroa na mão do Senhor,
e real diadema na palma do teu Deus.
Não serás mais chamada "desamparada"
nem a tua terra, "abandonada";
mas chamar-te-ão de "esta me agrada"
e a tua terra, "desposada".

Tentou conversar com a voz. Perguntou a quem dizer isto.

"Já foi dito", respondeu a voz. "Está apenas sendo lembrado."

Paulo sentiu um nó na garganta. Era um milagre, ele dava graças ao Senhor.

O disco dourado do sol foi aos poucos aparecendo no horizonte. Ele largou o bloco e a caneta, levantou-se, e estendeu as mãos em direção à luz. Pediu para que toda aquela energia de esperança — a esperança que um novo dia traz para milhões de pessoas na face da Terra — entrasse por seus dedos e repousasse em seu coração. Pediu para acreditar sempre no novo mundo, nos anjos, nas portas abertas do Paraíso. Pediu proteção ao seu anjo e à Virgem — para ele, para todos que amava, e para seu trabalho.

A borboleta veio e, como obedecendo a um sinal secreto do anjo, pousou em sua mão esquerda. Ele ficou absolutamente imóvel, porque estava na presença de mais um milagre; seu anjo havia respondido.

Sentiu o Universo parar naquele momento: o sol, a borboleta, o deserto à sua frente.

E, no momento seguinte, o ar à sua volta sacudiu. Não era vento. Era uma sacudidela do ar — a mesma que se tem quando um carro ultrapassa um ônibus em alta velocidade.

Um arrepio do mais absoluto terror correu por sua espinha.

Alguém estava presente.

"Não olhe para trás", escutou de novo a voz.

O coração estava disparado, e ele começou a ficar tonto. Sabia que era medo, um medo terrível. Continuava imóvel, as mãos estendidas para frente, a borboleta pousada.

"Vou desmaiar de pavor", pensou.

"Não desmaie", disse a voz.

Tentava manter o controle, mas suas mãos ficaram frias, e começou a tremer. A borboleta voou para longe, e ele abaixou os braços.

"Ajoelhe-se", disse a voz.

Ele se ajoelhou. Não conseguia pensar em nada. Não tinha para onde fugir.

"Limpe o chão."

Ele fez o que a voz dentro de sua cabeça mandava. Limpou uma pequena área na areia diante dele, de modo que ficasse lisa. O coração continuava disparado, e ele sentia-se cada vez mais tonto, e pensava que podia ter um ataque cardíaco.

"Olhe o chão."

Uma luz imensa, quase tão forte como o sol da manhã, brilhava do seu lado esquerdo. Ele não queria olhar, queria apenas que acabasse rápido tudo aquilo. Numa fração de segundo recordou a infância, quando lhe contavam das aparições de Nossa Senhora para as crianças. Costumava passar noites em claro, pedindo a Deus que jamais mandasse a Virgem aparecer para ele — porque teria medo. Pavor.

O mesmo pavor que estava sentindo agora.

"Olhe o chão", insistiu a voz.

Ele olhou para a areia que havia acabado de limpar. E foi então que o braço dourado, brilhante como o sol, apareceu, e começou a escrever algo.

"Eis o meu nome", disse a voz.

A tontura do medo continuava. O coração batia cada vez mais rápido.

"Acredite", escutou a voz dizer. "As portas estão abertas por algum tempo."

Reuniu todas as forças que ainda tinha.

— Quero falar — disse em voz alta. O calor do sol parecia restaurar as suas forças.

Não escutou nada, nenhuma resposta.

Uma hora depois, quando Chris chegou — havia acordado o dono do hotel, e exigido que a levasse de carro até lá —, ele continuava olhando o nome escrito no chão.

Os dois ficaram vendo Paulo preparar o cimento.

— Que desperdício de água, em pleno deserto — riu Took.

Chris pediu que ele não brincasse assim, seu marido ainda estava sob o impacto da visão.

— Descobri de onde é o trecho — disse Took. — O profeta Isaías o escreveu.

— Por que este trecho? — perguntou Chris.

— Não tenho a menor idéia. Mas ficarei atento.

— Fala de um mundo novo — continuou ela.

— Talvez seja por isso — respondeu Took.
— Talvez seja por isso.

Paulo chamou-os. A argamassa estava pronta.

Os três rezaram uma Ave-Maria. Depois Paulo subiu na pedra, colocou o cimento, e pôs em cima a imagem de Nossa Senhora, que carregava sempre com ele.

— Pronto. Está feito.

— Talvez os guardas retirem quando passarem por aqui — disse Took. — Vigiam o deserto como se fosse um campo de flores.

— Pode ser — respondeu Paulo. — Mas o lugar fica marcado. Será, para sempre, um dos meus lugares sagrados.

— Não — disse Took. — Lugares sagrados são lugares individuais. Aqui foi ditado um texto. Um texto que já existia, que fala de esperança, e tinha sido esquecido.

Paulo não queria pensar nisso agora. Ainda tinha medo.

— Aqui a energia da alma do mundo girou — continuou Took —, e continuará girando sempre. É um lugar de Poder.

Juntaram o plástico onde Paulo tinha misturado o cimento, colocaram na mala do carro, e foram deixar Took no velho trailer.

— Paulo! — disse ele, ao se despedir. — Acho bom você saber um velho ditado da Tradição:

Quando Deus quer enlouquecer alguém, satisfaz todos os seus desejos.

— Pode ser — respondeu Paulo. — Mas valeu o risco.

EPÍLOGO

Certa tarde, um ano e meio depois da aparição do anjo, reparei que minha correspondência trazia uma carta de Los Angeles. Era uma leitora brasileira, Rita de Freitas, me cumprimentando por O ALQUIMISTA.

Num impulso, escrevi de volta pedindo que fosse até o Glorieta Canyon, perto de Borrego Springs, ver se ainda existia uma estátua de Nossa Senhora de Aparecida que eu havia colocado lá.

Depois que a carta foi colocada no correio, pensei comigo mesmo: "Que bobagem. Esta mulher nunca me viu, foi apenas uma leitora que quis me dizer algumas palavras agradáveis, e jamais vai fazer o que estou pedindo. Não vai pegar um carro, e dirigir seis horas até o deserto, apenas para ver se ainda existe uma imagem."

Pouco antes do Natal de 1989 recebi uma carta de Rita, a qual adapto a seguir. Estava escrito:

"Aconteceram algumas 'coincidências' ótimas. Eu tive uma semana de folga do meu

trabalho, por causa do Dia de Ação de Graças. Eu e meu namorado (Andrea, um músico italiano) *estávamos planejando ir a um lugar bem diferente.*

"Foi então que chegou sua carta! E o lugar que você me sugeriu era perto de uma reserva indígena. Resolvemos ir.

(. . .)

"No terceiro dia fomos procurar o Glorieta Canyon, e encontramos. Era justamente o Dia de Ação de Graças. Foi interessante porque nós iamos bem devagar, de carro, e eu não vi nada relativo à imagem. Chegamos no final do canyon, paramos, e começamos a escalar a montanha, até bem no alto. Tudo que vimos foram algumas trilhas de coiotes.

"A esta altura, concluímos que não havia mais imagem.

(. . .)

"Quando a gente estava voltando, vimos umas flores nas pedras. Paramos o carro e descemos, e então vimos umas velas pequeninas que haviam sido acesas, uma borboleta de pano dourada, e uma cesta de palha jogada ao lado. Concluímos que ali devia ser o lugar onde a santa estava, mas não estava mais.

"O interessante é que eu tenho quase certeza de que não havia nada disto antes, quando eu passei. Tiramos uma foto — anexa — e continuamos.

"Quando estávamos quase no final do canyon, nós vimos, de repente, uma mulher toda de branco, com essas roupas árabes, turbante,

longa túnica, andando no meio da estrada. Mas foi muito estranho — como é que ia aparecer uma mulher no meio do deserto?

"Eu fiquei pensando: será que foi esta mulher que colocou as flores, e acendeu as velas? Não vi nenhum carro, e perguntei a mim mesma: como ela chegou até aqui?

"Mas eu estava tão surpresa que não consegui conversar com ela."

Olhei a foto que Rita enviou: era exatamente o lugar onde havia colocado a santa.

Era o Dia de Ação de Graças. E, eu tenho certeza, por ali caminhavam anjos.

Escrevi este livro em janeiro/fevereiro de 1992, pouco depois do final da Terceira Guerra Mundial — onde os combates foram muito mais sofisticados que os travados com armas convencionais. Segundo a Tradição, esta guerra começou nos anos 50, com o bloqueio de Berlim, e acabou quando o Muro de Berlim caiu por terra. Teve vencedores, o império derrotado foi dividido e acabou exatamente como uma guerra convencional. A única coisa que não aconteceu foi o holocausto nuclear — e isto não acontecerá nunca, porque a Obra de Deus é grande demais para ser destruída pelo homem.

Agora, segundo a Tradição, uma nova guerra vai começar. Uma guerra mais sofisticada ainda, da qual ninguém pode escapar — porque é através de suas batalhas que o crescimento do homem se completará. Veremos os dois exércitos — de um lado, aqueles que ainda acreditam na raça humana, que acreditam nos poderes ocultos do homem, e sabem que nosso próximo passo está no crescimento dos dons individuais. Do cutro lado estarão os que negam o futuro, os que acham que a vida termina na matéria e — infelizmente — aqueles que, embora tenham fé, acreditam que descobriram o caminho da iluminação e querem obrigar os outros a seguir por ali.

Por isso os anjos estão de volta, e precisam ser ouvidos, porque só eles podem nos mostrar o caminho — e ninguém mais. Podemos dividir nossas experiências — como procurei dividir a minha, neste livro — mas não existem fórmulas para este crescimento. Deus colocou generosamente Sua sabedoria e Seu amor ao nosso alcance, e é fácil, muito fácil encontrá-los. Basta permitir a canalização — um processo tão simples que eu mesmo custei muito para aceitar e reconhecer. Como os combates serão travados — em sua maioria — no plano astral, serão nossos anjos da guarda que empunharão a espada e o escudo, nos protegendo dos perigos e nos guiando para a vitória. Mas nossa responsabilidade também é imensa: cabe a nós, neste momento da História, desenvolver os próprios poderes, acreditar que o Universo não acaba nas paredes do nosso quarto, aceitar os sinais, seguir os sonhos e o coração.

Somos responsáveis por tudo que acontece neste mundo. Somos os Guerreiros da Luz. Com a força de nosso amor, de nossa vontade, podemos mudar o nosso destino, e o destino de muita gente.

Um dia chegará em que o problema da fome poderá ser resolvido com o milagre da multiplicação dos pães. Um dia chegará em que o amor será aceito por todos os corações, e a mais terrível das experiências humanas — a solidão, que é pior que a fome — será banida da face da Terra. Um dia chegará em que os que batem na porta verão ela se abrir; os que pedem, receberão; os que choram, serão consolados.

Para o planeta Terra, este dia ainda está muito longe. Entretanto, para cada um de nós, este dia pode ser o dia de amanhã. Basta aceitar um simples fato: o amor — de Deus e do próximo — nos mostra o caminho. Não importam nossos defeitos, nossos perigosos abismos, nosso ódio reprimido, nossos longos momentos de fraqueza e desespero: se quisermos nos corrigir primeiro para depois partir em busca de nossos sonhos, não chegaremos nunca ao Paraíso. Se, entretanto, aceitarmos tudo que há de errado em nós — e, ainda assim, achar que merecemos uma vida alegre e feliz, então estaremos abrindo uma imensa janela para o Amor entrar. Aos poucos, os defeitos vão desaparecer por si mesmos, porque quem está feliz só consegue olhar o mundo com Amor — esta força que regenera tudo que existe no Universo.

No livro *Os Irmãos Karamazov*, Dostoievski nos conta a história do Grande Inquisidor, que repito agora com minhas palavras:

Durante as perseguições religiosas em Sevilha, quando todos que não concordam com a Igreja estão sendo presos e queimados vivos, Cristo volta à Terra e se mistura com a multidão. O Grande Inquisidor nota a presença de Jesus, e manda prendê-lo.

De noite, vai visitar Jesus em sua cela. E pergunta por que ele havia resolvido voltar justamente naquele momento. "Você está nos atrapalhando", diz o Grande Inquisidor. "Afinal de contas, os seus ideais eram muito bonitos, mas somos nós que estamos conseguindo colocá-los em prática." Argumenta com Jesus, dizendo que embora a Inquisição fosse ser julgada severamente no futuro, ela era necessária, e estava cumprindo seu papel. Não adiantava ficar falando de paz, quando o coração do homem vivia em guerra; nem falar de um mundo melhor, quando havia tanto ódio e tanta pobreza no coração do homem. Não adiantava sacrificar-se em nome de toda a raça humana, porque o homem ainda sofria seus sentimentos de culpa. "Você falou que todos os homens eram iguais, que tinham a luz divina dentro de si, mas se esqueceu que os homens são inseguros, e precisam de alguém, precisam da gente para orientá-los. Não atrapalhe nosso trabalho, vá embora", diz o Grande Inquisidor, fazendo desfilar diante de Jesus uma série de argumentos brilhantes.

Quando termina de falar, há um silêncio muito grande na cela da prisão. Então Jesus se aproxima do Grande Inquisidor e o beija no rosto.

"Você pode ter razão", diz Jesus. "Mas meu amor é mais forte."

Não estamos sós. O mundo se transforma, e nós somos parte desta transformação. Os anjos nos guiam e nos protegem. Apesar de todas as injustiças, apesar de coisas que não merecemos acontecerem conosco, apesar de nos sentirmos incapazes de mudar o que está errado na gente e no mundo, apesar de todos os brilhantes argumentos do Grande Inquisidor — o Amor ainda é mais forte, e nos ajudará a crescer. E só então seremos capazes de entender estrelas, anjos e milagres.

Este livro foi impresso na Editora JPA Ltda.
Av. Brasil, 10.600 - Rio de Janeiro - RJ
em maio de 2001
para a Editora Rocco Ltda.